개미북스

여름 문구사

글.그림
이지언

일러두기

- 저자의 글맛을 살리기 위해 일부 표기와 맞춤법은 저자의 스타일을 따랐습니다.
- 본문 중 일부는 저자가 제주도 로컬 매거진 'innn' 에 '탐라 더 호키포키' 코너로 연재
  한 것을 재가공 한 글입니다. (2020~2021년 2년간 연재)
- 본문에 삽입된 글씨와 그림은 저자가 직접 쓰고 그린 것으로 저작권은 저자에게 있
  습니다.

NO! 큰 기대
YES! 작은 즐거움

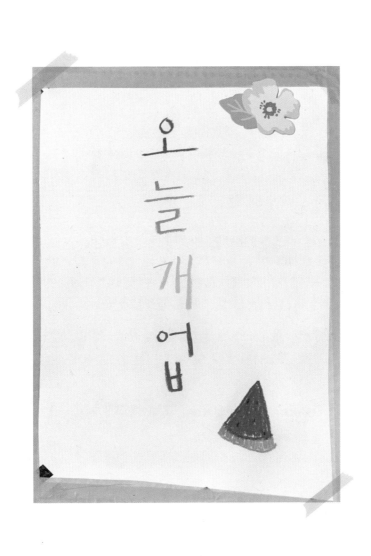

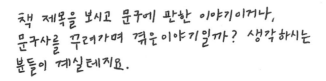
여름 + 문구사

책 제목을 보시고 문구에 관한 이야기이거나,
문구사를 꾸려가며 겪은 이야기일까? 생각하시는
분들이 계실테지요.

제가 여름문구사라는 가게를 하고있지만,
제 가게인 점을 떠나서 여름과 문구사의 단어조합이
싱그럽고 참 예쁘다 좋은단어이다 말해준 친구의 말이
떠올라 이렇게 책 제목을 결정했습니다.

이 책은 문구사에서 혼자 일하는 제가 말할 사람이
없어서 외로워서 하고 싶은 이야기들을 쏟아낸
책입니다.

여러분께 마음의 울림이나, 교훈, 지식들을
드릴순 없지만,

화장실에서 똥 쌀때 좋은 읽을거리 친구가 되어드릴순
있어요.
저는 화장실갈때 몇번 읽었어도 재미있는 제일
좋아하는 책들을 가져갑니다. 저도 그런책이
되고싶어요.... 소심00

요새 치킨값과 책값이 엇비슷하잖아요.
여러분께 치킨만큼의 즐거움은 드리자! 라는
다짐으로 책을 만들었습니다.

늘 우리에게 큰 기쁨과 위로가 되어주는
치킨에게 감히 비교대상을 삼는게
건방져(?) 보일수도 있겠지만서도

이 책 살 돈으로 치킨이나 사먹을껄 하는 마음은
부디 생기질 않길 바라는 생각이 꼬리에 꼬리를 물어...

SNS에서 보시고 기대에 가득차 문구사에
일부러 찾아와주신 손님이 실망해서 돌아가는
얼굴보는게 제가 제일 괴로운 일인데,
그런 소심한 제가 책을 냈다니...

문구사앞에 적어둔 NO! 큰기대! YES! 작은즐거움!
을 다시한번 외치며 저는 이만 물러갑니다가
아니라 서운인데... 프롤로그인데... 저와함께 보시죠!

　　　　　　　　　　　　　　　-문구사 이모

목차

2. 구좌 브이로그

3. 안물안궁 ?!

4. 어디 감수꽈

5. 이모는 장사꾼 I ♥ MONEY

1. 제주의 계절

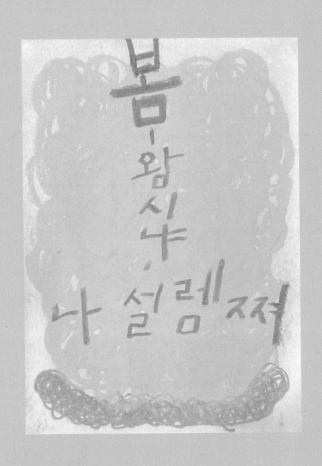

딸기는 봄을 싣고

봄날의 오일장

쇼핑
리스트

작은크기의 딸기 한 팩

저 어렸을때는 말이에요, 딸기는 봄의 과일이었는데
이제는 겨울 과일이 된것 같습니다. 새학기가 시작할때쯤이면
딸기와 설탕을 가득 넣고 불에 졸이며 달콤한 쨈이 되어가던 냄새가
집안에 가득했던 추억이 떠오릅니다. (엄마가 분명 쨈이라 했는데
아무튼 봄이면 딸기가 싸질까 싶었는데,   점도는 조청이 었이야....)
찾아보기 어렵네요. 한 가게에서만 작은크기의 딸기를 팔고
있네요. 요구르트를 넣고 딸기쥬스를 만들어먹어야 겠습니다.

두릅

와 두릅 나왔네! 진짜진짜 봄이구나!
비싸서 감탄만 하고 안사고 돌아서려 하는데,
그런나에게 삼춘이 첫번째재로 올라오는거라
연하고 또 약이라해서 못참고 사왔습니다.
입에 써야 약이라더니 정말 정말 너무 써서
초장을 듬뿍 찍어 먹었습니다. 당수치 올랐을듯

풋마늘 한단

한단씩밖에 안파는데, 둘이먹기엔
양이 너무 많아서 고민하고 있으니
삼춘이 (두릅가게랑 다른 삼춘) 또 제철이라
정말 맛있다 하셔서 못참고 샀습니다. 절반은 문구사
집주인 삼춘께 나눠드리고, 저녁에 삼겹살 사와 풋마늘무침과
함께 맛있게 먹었습니다.

저는 정말 제철음식앞에서는 오픈마인드 지갑이
되는것 같습니다.

늦봄의 오일장

쇼핑리스트

 열무김치

직접 만들어 오시는 두부와 김치들을 파시는데
엄청 친절하기도 하셔서 인기많은 가게입니다.
오늘은 장보러 조금 늦게가서 떨어졌을까봐 걱정했는데
다행히 살 수 있었습니다. "지난장에서 샀는데
너무 맛있어서 금방 다 먹고 또 사러왔어요" 라고
되도 않는 넉살을 떨어보며 삼춘이 귀엽게 여기시며
조금더 많이 담아주시길 기대해봅니다. 오천원어치 부탁드렸는데
육천원어치인지 어떤지는 삼춘만이 아시겠지요 ㅎㅎㅎ
봉지를 묶어주시며 ㅅ육지 열무로 담갔다고 강조하시며, 오늘껀
부드러운 거번장꺼 보다 더 맛있다고 하셨습니다.
자부심이 느껴져 참 좋았습니다.

 햇양파

기름진 음식을 좋아해서, 늘 나의 혈관에게
미안한 마음이 있어 생양파 섭취로
그 미안한 마음을 퉁 칠려고 사왔습니다.

 **참외** 과일가게 삼춘이 참외 달다고
사가라고 하니깐 "진짜 달아요?"
라고 하나마나한 질문을 나도모르게 해버렸다.
어렸을때 엄마따라 시장갔을때, 엄마가 아줌마 아저씨들에게
이거 싱싱해요? 이거 맛있어요? 이거 달아요? 라고 물어보면
내가 옆에서 그럼 주인들이 안 싱싱하고 맛없어요 라고 하겠냐며
엄청 잔소리하고 부끄러워 했는데, 아! 내가 그러고 있다
역시 피는 못 속이는구만

4月은 고사리 명상

작년에 채집해 말려서 넣어둔 고사리가 냉동실에 그대로
있건만, 4월 고사리 시즌이 시작되자 아직 채집을 못나간
저는 초조해서 안절부절 합니다. (내 고사리못 없어질까봐...
                              나고 또 나는게 고사리인거 알지만)

계속되는 심한 미세먼지 때문에, 고사리 꺾으러 못가고 있는데
아 맞다! 얼마전 미세먼지가 안개처럼 자욱했던 날 (진짜
                                            심했음)
오픈카로 시원하게 달리는 런트카를 봤습니다.
미리 오픈카로 예약해두었으니 여행 왔는데 미세먼지쯤이야
그냥 마시며 신나게 놀자 ← 이런 다짐이면 다행인디
청정제주 이미지 때문에 혹시 미세먼지를 안개로 오해
했을까봐 걱정걱정 (이정도면 거진 걱정 수집가 ¯_¯)

애니웨이, 즐겨먹지도 않고 (고사리를), 삶고 말리는것도
굉장히 귀찮아 하면서 왜 채집활동을 못나가 안달이냐면
그 채집활동 과정이 너무 즐겁기 때문 입니다.

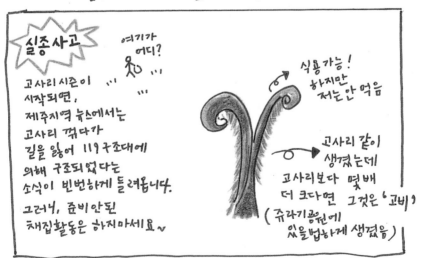

여기가
어디?

실종사고

고사리 시즌이
시작되면,
제주지역 뉴스에서는
고사리 꺾다가
길을 잃어 119구조대에
의해 구조되었다는
소식이 빈번하게 들려옵니다.
그러니, 준비안된
채집활동은 하지마세요~

식용가능!
하지만
저는 안 먹음

고사리 같이
생겼는데
고사리보다 몇배
더 크다면 그것은 '고비'
(쥬라기공원에
있을법하게 생겼음)

뭐시 그렇게 좋냐면 , 우선 고사리를 찾아 풀숲을 마구 헤매는게
좋습니다.
보통은 오름이나 숲을 갈땐 지정된 탐방로를 걸어야 하는데,
길이 아닌 풀숲이나 들판을
헤매는일이 이때가 아니면 언제 있겠습니까!
평상시엔 겁이 많아서 뱀. 멧돼지. 괴한이 나타날까봐
절대 탐방로를 벗어나지 않지요.
그런데, 이상하게도 고사리라는 목표가 생기면
욕심에 눈이 멀어서인지 무섭지가 않아요 .

아, 풀숲을 헤매는건 왜또 좋냐구요?
평상시 다니던 길이 아닌곳에 서서, 평상시 보던 풍경을
다른각도로 보게되면 낯설게 느껴지거든요.
낯설면 여행온 기분 느낄수있구요. 찰나의 순간이지만...
                          그렇게 느끼는건

고사리를 찾아 눈을 열심히 굴리다보면,
곱게 피어난 작은 야생화들과 연두색으로 솟아나는
새싹들로 안구를 정화시키고!
한 자리에서 길고 오동통한 고사리를 3~4개 발견하면
기쁨으로 가득 차고! 무거워지는 고사리 주머니를 보면
뿌듯하고! 지치면 그늘에 앉아 간식 꺼내먹고!
일상의 짜증나는것들은 하나도 안 떠오르는
오직 고사리와 나만이 존재하는 이 시간이 영상입니둥~

① 마당 수돗가에 앉아. 큰 대야에 갓 꺾어온
싱싱한 고사리를 들이붓고 몇번 헹궈준다.

씻다보면, 고사리에 눈이 멀어
안보여 데리고 왔던 개미와 진드기들이
보인다.
우리집 똥개들 옮길까봐 가까이 오는게
훠이~ 훠이~

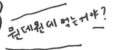

뭔데원데 먹는거야?

② 팔팔 끓는물에 고사리를 10분 정도 삶아준다.

고사리를 삶을때 나오는 수증기(?)
가 몸에 안좋다는 소리 어디서
주워듣고 집안에서 안 삶음
근데 마당은 바람이 불어   완전
버너에서 물 끓이기 오래걸려   근거
인내심이 많이 필요함.   없음

③ 햇빛이 쨍쨍한곳에 , 겹치지 않게 잘 펴서
말린다.

퇴근후에 집에 와보면
봄바람에 여기저기 날아가있어
또 고사리 찾기 2차전

4월 5일
'고사리장마' 시작

↓

겨울철 한반도를 감싸던
대륙고기압이 .... 중략

이 비가 그치면
고사리가 쑥쑥 자라있어요

여름의 신호탄들

오일장에 갔다가, 여름도착을 확인했습니다.

쑥 호떡

어랏! 호떡집에 불이 안 났습니다.
겨울에는 정말 사람이 많아서 한참을
기다려야 합니다. 줄이 없어 신나게
갔는데 반죽이 떨어져서 못 먹기도 하고
앞에 대량주문을 받아서 잠시 주문을
안 받기도 하십니다.
호떡을 비교적 빠르고 손쉽게
사먹었다면, 그건 바로 우우우우♬
여름이 오고 있다는 거~
네. 그만 흥얼거리고 여름의 신호탄들을 알아보겠습니다.

콩잎

초록 이파리 3장이 한 줄기에 붙어있는 채소를 봤다면
그게 바로 콩잎!

제주도에서는 쌈용채소로 즐겨먹습니다. 저는 동네 고깃집에 갔다가
처음 먹게되었는데요. 거칠고 특유의 콩잎 향 때문에 그냥그렇다
또 먹지는 않겠군! 하고 1차 자체평가를 내렸었는데 아 글쎄
(늘 그렇듯이) 스윽 그 맛이 생각이 나지뭡니까? 잘 구워진
삼겹살을 멜젓에 콕 찍어 그 쌉싸름한 콩잎에 싸먹으면 꿀꺽. 캬~
초여름에만 콩잎을 먹을수있으니, 부지런히 먹어둬야합니다. 아흥 침4와
거기다 여름되면 바베큐피플의 급증으로 상추와 깻잎값이
비싸지는데 콩잎은 비교적 저렴함.

완두콩

어렸을적 엄마가 시장에서 완두콩을 한 망 사오시면,
TV앞에 신문지 깔고 앉아서 콩껍질을 까던 기억이 떠오릅니다.
(고때는 요런 작은 살림일들이 참 재미있었는데, 내가 살림 주체가 되니
  너무 귀찮아요. 콩껍질 버리는것도 일이고 그래서 오일장에서
  깐 완두콩 한주먹 사옴)
엄마! 다 했어! 라고 말하면, 깐 콩을 거둬가시고 콩껍질채
삶은 완두콩을 간식으로 내어주셨죠.
따뜻하고 짭짜름하고 계속 손이 가던 초여름날의 간식!
  완두콩 넣고 하얀쌀 밥지어 열무김치랑 먹으면 초여름의 맛!
여름의 신토탄 완두콩알 빵야 빵야 ° ° ° ° ° ↘ 나 맨날 맛타령. 쩝

23

여름예찬

태어나서 지금까지 수 많은것들을 좋아했다 싫어했다 변덕이 심한데
늘 변치않는 몇가지 중 하나는 여름을 사랑하는 저의 마음입니다.
저는 여름의 모든것을 좋아합니다.
사람들이 듣기 괴로워하는 매미떼창 울음소리도 , 습한 장마도,
모기에 물리는 간지러움도 싫으척 하지만 사실 괜찮.. 좋습니다.

제 스스로 죽는날을 고를 순 없겠지만,
만약 그럴 수 있다면 초록잎이 무성하게 채워진 나무가
산들 바람에 흔들리고 매미소리가 쟁쟁쟁하게 울려 퍼지는 날
씩씩하게 죽고 싶습니다. 물론 저를 보내주는 사람들은 더워서
고역이겠지만요. 여름을 이렇게나 사랑하지만 막상 잘 즐기는
방법은   모르겠습니다. 단 하루도 허투루 보내고 싶지 않은
욕심에 결국 우울해 지는 날도 있습니다. 그럴땐 정신차리고
      여름의 좋아하는 작은 부분들을 떠올려 봅니다.

• 여름의 계곡 냄새 , 모기향 냄새

• 그늘아래 늘어져 자고 있는
　　　　동네개들의 평화로운 얼굴

• 타일로 마감되어 있는 야외 수돗가

　• 봉숭아 꽃잎과 풀잎을 돌로 짓이겼을때 나는 풋내향

　　• 에어컨 시원하게 틀어진 카페에서
　　　마시는 뜨거운 아메리카노

　　• 소쿠리에 담겨져 있는 삶은 옥수수와 감자

　　• 오이비누로 찬물목욕을 했을때의 상쾌함

• 여름드라마 '내 이름은 김삼순'에서 삼순이가
　비빔밥+소주 먹는 장면 , 한라산에서 삼식이 만나는 장면

• 어젯밤에 네모나게 잘라 냉장고에 넣어둔 수박

　• 땀 흘리고 마시는 맥주

여름속의 가을, 장마입니다.
어둑해진 하늘과 축축하고 싱그러운 비내음에, 활활 타오르던
몸과 마음이 차분해지며 가을마냥 센치해집니다.
이럴땐 뭐다? 막걸리 & 부침개가 활약할 타이밍이지요.
맛있는 애호박이 제일 싼 시즌이니깐 〈애호박 바지락 부침개〉
　　　　　　↑일년중　　　　　　　　　　로 가겠습니다.

→ 전 세계 물가지수를 파악하는 빅맥지수가
　있다면, 나만의 시장물가 파악하는 지수는
　애호박지수! 제주는 제일 쌀때가 1,000₩
　육지는 여름에 3개에 2,000원도 있던데 ㅠ-ㅠ

저는 만두와 부침개를 먹고 살이 쪘습니다. 그런 제가 자부심을 갖고 (?)
추천하는 메뉴입니다. 애호박을 채썰어 넣고 바지락살을 넣으면 끝!
　　　　　　　　　　↗ 채써는것이 포인트에요

조금 덜 귀찮으신분은 풍미를 위해 청양고추와 깻잎도 조금 썰어
넣어보세요. 그리고 양파 잘게 썰어넣은 간장에 콕콕 찍어드세요.
진짜맛있당께요
애호박의 달큰함 + 쫄깃하고 짭쪼름한 바지락살 + 빗소리
긴 장마로 인탄 우울속에서 기어코 찾아낸 거의 작고도 큰
행복입니다. 막걸리도 여러잔 걸쳤더니 잠이 솔솔 오네요~
배 둥둥거리며 낮잠 한숨 은 무슨!!!
술빨로(?) 화장실에 생긴 곰팡이나 청소하자 으아으아악

26

탕탕물

여름바닷가도 좋아하지만, 뼛속까지 시원해지는 계곡도 참 좋아합니다.
그러나 제주도에 계곡은 돈내코 하나뿐! 그마저도 저희동네에서
아주멀지요. (자리차지 경쟁률도 매우 높음)
그러나, 저는 슬프지 않아요. 저희동네에는 아주 귀하고 귀한
탕탕물이 있기 때문이지요.
여름날, 퇴근후 밥먹고 설거지하고 청소하고 개들 산책까지
시키고 나면 온몸이 땀범벅이 됩니다.
시원한 냉수로 이땀을 씻어내고 싶은데, 저희집근처는
수도관이 엉~얕게 묻혀져 있는지 여름태양열기에 뜨겁게
달궈진 미지근한 온수가 샤워기에서 나와 성에 차질 않습니다.
그리하여 저는 탕탕물로 갑니다.
뼛속까지 시원해지는 냉수로 가득한 탕탕물

제 그ㄹㄹㄹ

찰랑찰랑 졸졸졸

달빛

어푸어푸

먼저 다녀간
사람의
물묻은 발자국

수건

후레쉬

차 타기전
닦을 수건

달빛이 있지만
나는 잘보이는깐

플라스틱 바가지
을 들어가기 전
낑끼없는용

한 여름밤의 탕탕물은 참 운치있습니다.
달빛이 탕탕물에 가득 차있고,
풀벌레소리, 졸졸졸 물 흐르는 소리를 듣고 있노라면
제가 여름의 한 가운데에서 잘 지내고 있구나 하는
생각이 듭니다. 그러면서 어둠에 대한 두려움도
점차 사그러지지요.
나의 시골생활은 참 별 볼일 없지만, 이순간 만큼은
내가 바로 리틀포레스트의 김태리

• 탕탕물 정의 : 제주시 구좌읍 하도리에 있는 용천수

• 명칭유래 : 20~30년전 돌을 파내다가 물이
  솟아나자 우물로 만들었으며 물이 탕탕하게 솟아난다는
  데서 유래 하였다.

• 현황 : 탕탕물은 염수와 담수가 만나는 습지인 제주시 구좌읍 하도리
철새도래지에 위치한다. 탕탕물은 여러지점에서 분산하여 솟아나고
있는데 마을과 근접해 있어 주민들의 식수와 생활용수로 사용되었으며
현재는 생활용수와 어린이들의 물놀이 장소로 활용되고 있다.
용출량은 1일 평균 5,600㎥ 수온은 평균 15.9°C

온도차이때문에
자꾸 뻑뻑하게 됨

으으 시원으으
아 춥다 까!

탕탕물에 머리를 끝까지
담그고 나면, 가슴 속에
쌓였던 화? 열기가
빠져나가는게 느껴집니다.
이 맛에 중독이되어서
덜 더웠던 날에도 탕탕물을 찾곤
하는데, 덜 더워서 행여나 탕탕물
최고로 시원하게 못 즐길까봐 자동차 창문을 꽉 닫고, 에어컨도
끄고 탕탕물을 향해 달립니다. (아! 탕탕물 우리동네이긴 하지만
차타고 5분정도 갑니다.)
숨 막혀 죽기전에 도착해 시~원하게 탕탕물을 즐기고 돌아와
샤워하고 잠자리에 들면 등짝에도 서늘함이 남아 있습니다.
그 서늘함으로 열대야에도 깨지않고 푹 잠이듭니다.

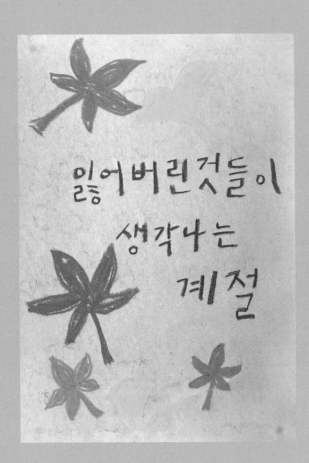

가을

가을은 쉬는날 처럼 빠르게 지나갑니다.
짧기야 봄도 짧지만, 봄은 여름 기다리는 맛으로 짧게 지나가든지
말든지 신경도 안쓰는데 가을은 지나면 제가 무서워하는
겨울이오므로 안절부절한 마음으로 가을날을 보냅니다.

짧은가을 제대로 보내려면 준비를 제대로 해야 합니다.

여름일상을 보내는 대부분이 여행객들로 둘러싸여 있어
덩달아 들뜬마음으로 여름을 보내기도 하고, 일년중 제일 바쁜
시기이다보니 지친 몸과 마음을 보살피지 못하고 한없이
축락해있기도 합니다.
길고도 긴 겨울이 오기전 가을날에, 그 어떤마음이든간에
잘 정리해두어야 합니다.
그렇지 않으면 제주의 겨울바람에 마음이 멀리멀리 날아가
진짜진짜 힘든 겨울을 보낼지도 몰라요.

☆ 깊어지는 ♭가을 밤, 깊어지는 생각들 ☆
가을 청승에 부스터를 달아줄 이노래를 추천합니다.
🎵 김창완 아저씨의 이 말을 하고 싶었어요 ♪♪

언제 어떻게 될지 모르는 늘 불안한 세상살이
나의 소중한것들을 잃고 싶지도 않으면서
뭐시 중요한지 여름내내 잊고 살았던 저에게
깊은마음의 울림을 준 좋은노래입니다.
그나저나 김창완 아저씨 그 선한 얼굴로 악역을 할땐
정말 나쁜놈 끝판왕같아요. 진짜진짜 나쁜놈같아서 못보겠음 〈봄.살봄〉

(어른한정!
어린이는 희망만
보고 느끼며 살아라!)

오홋~ 선곡이 마음에 드셨나요? 그럼 다음 선곡 나갑니다. 뮤직큐!
이번에 소개해드릴 곡은 윤도현의 가을우체국 앞에서 입니다 ♪♬
누구나 다 아는 가을 대표곡이지만 이 노래에 대한 저의 애정을
널리널리 알리고파 소개해보았습니다.

↳ 책 많이 팔렸으면   소년같은 발성의 윤도현님의 목소리와
   하는 숨겨진 야망   멜로디에만 심취해 있다가
   나와브렸네 나와브렸어야   어느날 찬찬히! 가사를 곱 씹어 보니 캬~

가을 우체국 앞에서 그대를 기다리다   → 그대를 기다릴때
노오란 은행잎들이 바람에 날려가고   핸드폰을 안보는 1994년도의
지나는 사람들 같이 저 멀리 가는걸 보네   낭만이 좋습니다.

세상에 아름다운 것들이 얼마나   바람에 날리는 은행잎이
오래남을까   지나가는 사람들 처럼 사라지는걸
                                         보고, 세상에 아름다운것들이
한여름 소나기 쏟아져도   얼마나 오래남을까
굳세게 버틴 꽃들과   떠올리는 이 사람 참 좋습니다.

지난 겨울 눈보라에도 우뚝   시원하게 내리는 소나기라고만
서있는 나무들 같이   생각했지. 그 아래 굳세게
                                         버티고 있던 꽃들을 잊고있었습니다.
하늘 아래 모든 것이 저 홀로 설 수 있을까
                                         이런 생각들을 갖게해주는
가을 우체국 앞에서 그대를 기다리다   이 노래 너무 좋아
우연한 생각에 빠져
날 저물도록 몰랐네   그나저나 그대를 기다리다
                                         우연한 생각에 빠져
                                         날 저물도록 몰랐다면
                                         바람맞은건가?

                                         이런 사람을 대체 왜
                                         바람맞히는거여?

35

레드키위

육지의 가을은 집나간 며느리 자진신고 기간인
전어가 제철인 시즌이지요. (→아닌데 왜 집은 며느리안 나가뭐요?
왜 사위는 안 괴롭히는 건데 ???)
그나저나
며느리 맛잘알
제주의 가을은 육지로 독립했던 자식들이 돌아오는
시즌입니다. 왜냐면 맛있는 레드키위 먹기위해서는,,,
당연히 농담이고요. 추석을 앞두고 벌초하기 위해서
내려들오지요. 제주에는 벌초휴가, 벌초방학 (지금은 없어졌다함)
'명절에는 안 와도 벌초에는 와야 한다'라는 속담까지
있을만큼 친척들이 한자리에 모여 벌초하는 문화를
중요시합니다. 그래서 추석을 앞둔 주말에는 마을공동묘지.
명당 묘가 많은 곳의 식당은 가면 큰일나요.
웨이팅이 길거나 재료소진으로 못먹을수도 있거든요.
(특히 중산간에 있는 맛집들)
북적북적 와글와글 대가족인 제주도의 가족들을 부러워하며
완전 소규모 가족인 저는 외로워 하며 그 외로운 마음을
레드키위로 달랩니다. (오우 제법 자연스러운 연결이있어)
ㅋㄱㅋㅋ
제주의 가을에 잠깐 맛볼수있는 이 레드키위는
무화과와 그린키위의 장점을 합친것으로 시지않고
달고 맛있습니다. 신맛이 없어 부모님들도 정말
좋아해요. 가을날에 제주에 오신다면 오일장에서
레드키위 꼭 맛보셔요들

가을옷
꺼내도 되겠지

가을에도 영업합니다.

쥐어짠 제주 겨울바람

의 장점

진짜 겨울 제주도 바람 너는 내가 장점 하나라도
찾아준걸 고맙게 여겨라 ! 라고 쓴 순간 풍력발전기가 있었네요.
친환경적인 에너지원을 제공하고 있었어... 덜썩
지구를 위해 좋은 일 하는 너를 지독히도 미워했네, 그렇지만
너 너무시끄럽고 습고 그래... 그래서 어렵게 찾은 또 하나의
너의 장점이 무엇이냐면 너 덕분에 부부싸움을 편하게 할수있지

< 급격한 말투변경 예정 >

↳ 친분이 없어도 여기가 누구네집인지 다 아는 시골 생활
문 열어놓고 사는 여름에는 행여나 작은 우리의 불행과
부끄러운 분노들이 새어나갈까봐 눈빛과 긴 침묵으로 싸웁니다.

그런데 이제 시끄러운 제주동쪽의 겨울바람이 분다면,
그 바람뒤에 숨어서 이웃들 모르게(?) 최선을 다해 싸웁니다.

이것이 좋은점인지 나쁜점인지 조금 헷갈리긴 하지만,

(이웃들이 집값 떨어진다고 뭐라하면 우짜지...?)

남편이랑 싸우고 천불난것같은 가슴도 동네바닷가에서
바람 실컷 맞으면 후딱 시원하게 진정도 되고
좋... 좋은것 같습니다.

동쪽 바람의
상상도 (여신)

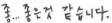

아,
씨빨

으휴도 시작!
난
혼자날간다.

남편이란 자고로
남겨편 !
내가 너의
편이 되어줄게

스웨터를 입으니
새로운
계절의 냄새가 났다.

 스웨터를 입고
여름문구사

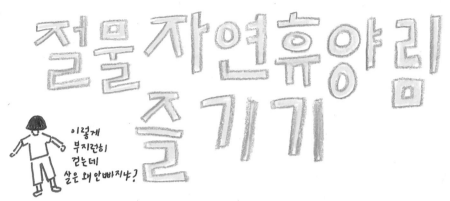

절물 자연휴양림 즐기기

이렇게 부지런히 걷는데 살은 왜 안빠지냐?

봄 : 봄에는 잘 안갑니다. 안간다기 보다는 삼나무 꽃가루 알레르기가 있어서 못갑니다.(원래 이런 알레르기가 없었는데 삼나무 많은 제주에 살다보니 생겼습니다. 맹구처럼 맑은 콧물과 눈물이 주르륵!) 그리고 봄은 너무 짧음! 즐기려하면 꽃샘추위거나 여름이 와버림

여름 : 여름의 절물 당연히 좋아합니다. 땀 뻘뻘 흘리긴 싫은 정도의 운동을 원할때 갑니다. 나무들이 울창해서 쭈욱 그늘에서 걸을 수 있고 대부분이 평지길입니다. 절물은 생각보다 면적이 넓고 여러개의 탐방코스가 있습니다. 제가 제일 좋아하는 코스는 장생의 숲길(코스이름) 2km만 걷고, 중간 샛길로 빠져나오는 코스입니다. →(원래는 한라생태숲까지 이어지는 10km 코스입니다. 소요시간 3시간30분) 절물 초입에는 여행객들로 붐비는데, 이곳 장생의 숲길코스는 운동삼아 걷는 지역주민이 대부분이라 한적한 편 입니다. 사람많은곳은 싫고 사람이 너무 없는 외딴 숲길은 또 무서워서 싫다고하는 저같이 까다로운 인간에게 제격인 코스입니다. 데크대신 촉촉한 흙길과 바위 사이를 걸으며 키가 엄~청 큰 삼나무를 보고있노라면 EBS 세계테마기행 에서 본 북유럽 숲을 걷는듯한 느낌도 듭니다. 아! 절물의 MAIN 숲 코스는 다 데크로 되어있어, 비가오는 장마철에도 깔끔하게 걸을 수 있습니다. 나우 (장생의 숲길 코스는 비 많이 오면 폐쇄)

가을 : 가을은 소풍의 계절이죠! 그렇지만 저는 학교도 안다니고
소속된 회사도 없고 거기다 소풍 데리고 갈 자식도 없는
무자식 어른이니 스스로 소풍을 떠나야 합니다.

제주에는 가을 소풍 갈 만한 곳이 여러군데 있지만, 날씨가 좋아
갑작스럽게 나온 소풍제안에 어디로 갈까 고민스러울때 보험처럼
찾는곳이 절물자연휴양림입니다. 메인숲 한쪽에는 평상들이
넉넉하게 있어서 의자나 돗자리 준비 없이 가볍게 먹을 것만
챙겨가도 안락하고 즐거운 소풍을 즐길수 있습니다.

배 두둑히 먹고, 평상에 누워 발을 까딱까딱 하며, 흔들리는
나무를 바라보며 바람이 가는 길을 관찰하고, 까마귀의
까악까악 소리를 들으며 책 읽다 살짝 졸며 풍요로운 가을날을
양껏즐깁니다.

겨울 : 절물은 중산간지역에 있기때문에 , 눈이 귀한
해안가 동네에 사는 우리들이 눈 구경하러 가는 곳중
하나입니다.

바람많은 제주도는 눈도 곱게 소복히 내리지 않습니다.
눈보라를 옆으로 맞아서 절반만 새하얗게 된 나무들이
아주 절경입니다.

41

2. 구좌 브이로그

지극히
평범함이
나의 개성

우리집 개 소개

개가 있어 애를 안 낳는건 아니지만, 어쩌다 보니 저와 남편은 무자식에 개 3마리를 마당에서 키우고 있습니다.

부부♡

but. 부부사이 서로 인정 안 함. 암숙! 이라기보단 쫄이 일방적으로 톰 싫어함!

딸

톰 수컷 2010년생

출신 : 스트리트

최초 발견자가, 톰을 보고 모험을 좋아해서 새끼때부터 집을 나갔구나~ 그렇다면 '톰 소여의 모험'의 톰이라 이름 짓자해서 탄생된 이름

✔ 식탐이 강렬함

✔ 비글의 후예인듯함

✔ 산책중 남의 똥을 자기몸에 묻히므로 늘 예의주시해야함

✔ 목욕시켜놓으면 흙구덩이를 파서 몸을 비빔

쫄 암컷 2011년생

출신 : 세화오일장

오일장에 장보러 갔다가 일년전 톰과 똑닮은 모습을 보고 안 데려올수가 없었음. 마침 톰도 외로워하는것 같았고 여동생으로 데리고 온건데...

✔ 예민함

✔ 발에 물 묻는걸 몹시 싫어하므로 비 가오면 똥. 쉬 하기 싫어서 식음전폐함

✔ 인바디 안시켜봤지만 눈바디로 봐도 근육량이 엄청낭 (캥거루같음)

쮸쮸 2014년생 출신 : 우리집

3녀 1남중 유일하게 우리집에 남은 녀석
다 입양보내려고 했는데 비교적(?) 덜 귀여웠던 쮸쮸만 남아 결국 우리가 키웠다. 입양희망을 버리지 않고 이름 지어주면 정 생겨 못보낼까봐 현,현 하는소리로 부르다가 이름이 되었다.

사람 앞에서 쮸쮸 이름 부르면 어쩐지 조금 부끄럽다.

✔ 귀여움 ✔ 병원비 제일 많이 씀

왜?

why?

둘다 자다
일어났음

헉! 한마리가
모잘라...

① 폭염이던 어느 휴우날,
  외출후 집에 돌아왔더니
  우리집 막내 쥬쥬가 사라졌다.
  아니 최근 가출이력이 전혀없는
  쥬쥬가 왜? (1m 50cm가 넘는
  돌담을 뛰어 집나갈 쥴도 아니고...)
  쥬쥬가 아주 어렸을때 열린
  현관문 사이로 나갔다가, 다리가
  부러져 온일이 있었기에 급격하게 나는
  사색이 되어갔다.

② 온갖 불안한 생각을 안고
  폭염속에 동네를 뛰어다녔다.
  이웃들 가게에 가서 우리집
  쥬쥬 봤냐고 묻고,
  지나가는 사람들에게 묻고,
  남편은 회사를 조퇴하고
  온다하고...
  온 동네방네에 외치기
  민망한 그이름 "쥬쥬"
  를 외치고 다녔다.

쥬쥬

더워

혹시 이근처에서
얼룩덜룩한
강아지 봤셨나요?

아/폭염! 땀! 개기름!

아니요,
못봤어요.

이름 참
거시기하네~

49

③ 찾다찾다 지쳐서
SNS에 도움요청 글을 급히 올리고,
너무 목이 말라 집에 왔더니
쮸쮸가 마당 한가운데 서서
나를 반기고 있는것이 아닌가?
어? 갑자기? 어디서???
그래도 휴~ 어쨌든 무사히 돌아와서
다행이다. 정말 다행이다.
모두에게 쮸쮸가 무사히 돌아왔음을
상황종료 되었음을 알렸다.

BB반히

집에 왔으면
나 간식 줘야지~

④ 마당에 앉아
한숨돌리는데 저 멀리
웬 구멍이 보이는게 아닌가?
다가가 구멍을 자세히 들여다보니
개들이 파놓은 흔적이다.

쮸쮸가 너무 더웠던 나머지
땅을 파서 시원한 흙바닥에
몸을 뉘이고 잤던것 같다,
내가 불렀을때는 나오기 귀찮아서
안 나왔던것 같고…

하 ㅠㅠ 그것도 모르고 저는
그 폭염속에 쮸쮸 찾는다고 온 동네를
뛰어다녔습니다.

톰! 쫄! 니들은 알고 있었으면서
        왜 왜 왜 말 안해줬어? 힝

저기 저
구멍은 무엇이지?

나중에는
이런일 종종발생
안보일때도
우선 놀라지 않음!

• 마당에 풀어놓고 키우고 있습니다.
• 아이스 방석도 깔아주고, 그늘막도 쳐주고
  마당곳곳에 그늘이 있지만 땅속이 제일 시원한가 봅니다.

50

제가 그린 우리집 개 그림으로는
귀여움이 다 표현 안되니깐,
실물 사진 대공개

귀찮은 두녀석들 없이,
나하고 둘이서만 오붓하게
산책해서 매우 기쁜 쫄
우리쫄 외동딸 하고싶어?

마당에 땅굴 파놓은 범인 걸거!
주둥이에 흙이 잔뜩 묻어,
수염난 사람이 떠올라 웃긴 쮸쮸
·I· 열심히도 팠다...

늘 멜로눈빛으로
사랑보다 간식을 갈구하는
우리집 맏이 톰!
그러나 듬직함 제로

남의집 마당구경

우리집 마당 가꾸는건 너어무 귀찮기 때문에
흐린눈을 하고 남의집 마당은 눈을 부릅뜨고 구경을 합니다.
제 출퇴근길에 아이쇼핑 할 곳은 없지만, 마당구경 할
집들은 많답니다.(꿩 대신 닭! 아이쇼핑이 백배천배 더 좋음)
도둑. 거지. 대문이 없는 삼무도 답게, 대문들이 잘 없어 (우리집도없음)
구경하기 수월합니다. 사실 대문들이 있어도 다들 열어놓고있고
대문이 있어도 무의미한 대문들이라 (담벼락이 낮고,
개구멍들이 있음) 합법적인 선에서, 실례가 되지않게
충분히 구경가능합니다. 저 몰래몰래 응큼하게 보는
그런사람 아니에요. 휴~ 소심해서 또 서론이 길었네요.
빨강색계열의 접시꽃이 흐드러지게 피어있는집을 지나다니며
무궁화꽃이 아니라 접시꽃임을 알았고, 또 접시꽃이 얼마나
예쁜꽃인지도 알게되었죠. 따라 심으려 했는데 매번 까먹고
다시 여름이 되어 그집을 지나갈때 아!맞다 접시꽃! 하고
떠올리지요. 이 글을 쓰며 네이버 지식백과에 접시꽃을
검색해보니 할머니들이 좋아한다는 말이 있네요.
할머니가 되기도전에 접시꽃의 아름다움을 깨닫게 해준
그 집에 감사의 인사를... ♡

52

오...
우리아빠가
좋아하겠군

마당에 분재가 대략 100개정도 있는 집도 있습니다.
아저씨가 열심히 관리하는 모습도 종종 볼수
있습니다. 아줌마도 분재를 좋아하실까 의문이긴
하지만... 아저씨의 부지런함은 인정입니다.
이렇게 부지런히 가꿔놓으신 분재들을 혼자보기
영 아쉬우신지 지나가다가 마음껏 관람할수
있도록 담벼락에 홈을 만들어 놓으셨습니다.
아직 분재의 멋은 깨닫지 못했지만,
아저씨 백수하시라고 열심히 구경합니다.

야생의 들판같은 마당도 있습니다. 꾸안꾸같은 정원!
멋대로 자라나게끔 냅둔것 같지만 자세히 들여다 보면
가꾼 흔적이 보입니다. 제가 딱 원하는 스타일의 마당입니다.
저 자연스러움을 유지하려면 부지런함 플러스 감각도
있어야 할 것 같습니다. 마당 가꾸기 보다 재미있는게
많은 저는 오늘도 개똥밭이 된 우리집 마당을 외면하고,
남의집 마당구경을 합니다.

능소화

여름꽃 중에 제일 좋아하는 꽃입니다.
원래는 수국을 제일 좋아했는데,
제주에서 정말 원없이 봐서 조금 질렸음.
그리고 시들어 가는 모습이 쿨하지 못해 실망함.
(꽃잎이 시들어도 떨어지지 않고 자기 전까지
드라이플라워처럼 그대로 시커멓게 말라감.
삶이 미련이 많아보이는게 저 보는것 같아서..)

예쁜 능소화를 우리집에서도 보고 싶은마음에
오일장에서 나무를 사다 심었습니다.
첫해에는 자리잡고 자라느라 꽃을 피우진
못했고, 두번째해에 드디어 꽃을 피웠는데...
어째 묘하게 내가 알던 능소화랑은 조금
다르지 않겠습니까? 색깔도 좀더 진하고
꽃잎의 모양이 좀더 옹졸하고 그래서
시간이 지나면서 멀어지고 활짝 피나 했더니
제가 심은건 서양능소화였지 뭡니까?
우리가 흔히 보는 청초하고 하늘하늘한
능소화는 중국능소화이구요.
아, 왜 아무도 말 안해줬어??
내가 원한건 중국능소화인데 ㅠㅠ (안물어봤잖슈,
능소화라니깐 대뜸 사버린 나)

보리수
나무

잎집이 심어진
보리수나무가 참 여름답고
예뻐보여서
따라 심었습니다.

먹다남은 막걸리도 부어주고,
우리집 개똥들도 거름이 되는지
한해한해 열매를 많이
생산해 내더라구요.

새들 먹이안 되는게 아까워
보리수잼을 만들어 보았습니다.
껍육 씨앗 씨앗발라내다가
씨앗 욕나올뻔한
고된작업이었습니다.
양초 리틀포레스트 영화가
저를 이렇게 만들었어요.
영화를 재있게
보았으면 됬었지.
왜 따라하려고...
결론 : 잼은
맛없습니다.
설탕과다로 너무달아!

마당새내기에게는 작은 팁이 되고,
마당은 없지만,
마당이 있는이에게 작은복수를 하고
싶은 사람에게 작은 팁이 될 이야기

민들레라는 정직해보이고 순박한 이름과 겉모습에 결코 속지 말것!

야생에서 만나는 민들레는 그 작고 샛노란것이
어찌나 이쁜지요. 거기다 민들레 홀씨를 후~ 부는것
만큼 아름답고 평화로운 순간은 또 어디있고요.
하지만 이 모든게 마당안에서 일어난다면 이야기가 무서워집니다.
바람타고 돌담을 넘어와 자리잡은 민들레는 비싼 돈주고 심은
잔디를 잠식해 갑니다. 뽑아 없애려고 해도 어찌나 뿌리가
깊은지 잘 뽑히지도 않고, 열심히 뿌리를 파내며 뽑아도
자꾸 중간에 뿌리가 끊어집니다. 그리고 민들레 50개를
뽑으면 뭐합니까? 구석에 1개 남은 민들레 홀씨가
바람에 불어 날리면 이 모든게 도로아미타불
그러니 민들레를 늘 때의주시하고, 강아지 키우시는 분들은
산책시에 털에 민들레씨앗이 붙지않도록 조심하세요.
그리고 꼴보기 싫은사람이 마당이 있다면 그 집가서
민들레 후 후 후 후 불 던지게 신나게 불어 버리세요.
이만한 복수가 없당께요.
그나저나 민들레 밭인 우리집 마당... 그럼 혹시 나도
복수당한건가? 싶지만 저 그렇게 원한 사는 사람
아니에요 아니야! (정색흥흥) 우리집 문의점(?)
강아지가 옮겨온걸 게으른 제가 뽑지못한거라구요
(혼자 북치고 장구치고 잘하네…)

56

어렸을적 엄마와의 추억 때문에
나팔꽃을 참 좋아합니다.
그래서 마당이 생긴 후
잔뜩 신나서 나팔꽃 씨앗을 뿌려
꽃을 봤는데... 옆집 아저씨가
나팔꽃은 씨앗이 날려
여기저기 퍼져 지저분하다고
당장 뽑으라고 불호령을......
마당이 있다고
심고싶은 꽃 다 심을수
        있는건 아니드라구요.

what's in my car?

채집활동과 야외나들이가 빈번해지는 봄날에, 차 안에 꼭 갖고다녀야 할 필수품들을 소개합니다.

① 다양한 크기의 봉다리들 : 채집후 인증사진 찍기엔 바구니가 예쁘긴 하지만, 늘 차에 구비되어있어야 하기에 공간을 작게 차지하는 봉지들을 챙겨둡니다.
한 두번 쓰고 버리기엔 아깝고, 또 쓰자니 조금 냄새나고 더러워진 지퍼백들을 모아뒀다가 이때쓰면 참 좋아요.
채집할 계획이 없었는데, 눈에 띄는 바람에 어쩔수없이 채집하였을 경우, 봉다리가 없어 그냥 가방이나 차트렁크 한켠에 두었다간 개미와 진드기 등등 각종 벌레들과 함께하는 시간이 아주 길어질것입니다.

② 캠핑용 접이식 의자 or 돗자리

봄나들이 중 마음에 드는 장소를 발견하면, 그 풍경을 온전히 즐기고싶은 마음에 그 자리에 앉거나 눕고싶습니다.
하지만, 그냥 풀밭에 털썩 앉았다가는 쓰쓰가무시 야 진드기 에게 물릴수있으니 꼭 무언갈 깔고 앉거나 누워야 합니다.

수년전 셀프생일선물로 샀던 헬리녹스 X 라인프렌즈 의자

아직까지 본적도 물린적도 없지만, 공포의 대상!
어릴적 봄소풍갈때마다 엄마가 하도 쓰쓰가무시 조심하라고 해서 제 머릿속은 봄 풀밭 = 쓰쓰가무시 공식이 생겨버렸습니다.
본적이 없어 실체가 잘 안느껴져 해태같이 전설속의 존재처럼 생각되는 쓰쓰가무시입니다.

③ 없어도 되지만, 있으면 좋은것들

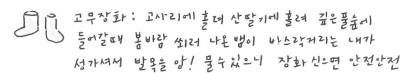 고무장화 : 고사리에 홀려 산딸기에 홀려 깊은 풀숲에
들어갈때 봄바람 쐬러 나온 뱀이 바스락거리는 내가
성가셔서 발목을 앙! 물수있으니 장화 신으면 안전안전

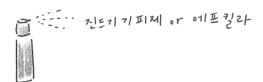 진드기 기피제 or 에프킬라

 목장갑 : 앗! 이것은 필수필수! 안끼면 풀독오름

 텀블러에 담아온 진한커피

59

what's in my 창고!

저희집은 코딱지만한데. 집 옆으로 또 코딱지만한 창고가 있습니다. 그래서 온갖것이 창고에 다 있지요. 그 창고에 무엇이 있는지 함께 보시렵니까?

귤이 한가득

까! 귤이너무많아

<남편이 직장에서 얻어옴>

<집을 비운사이에 생긴 귤 컨테이너 한박스>

<별로 교류가 없는 건너집
→ 아저씨가 갑자기 귤을 주심
X 감사하다며 받았는데
○ 딱 봐도 맛없는 귤 (역시나 맛없었음)
아저씨도 어디서 받은 귤을 나에게 생색내고 처리한것 같은 느낌을 지울수가 없다 허허허>

<토스실패>

<이웃들>

우리집에도 많단다. 너의 귤을 거절하노라~

제주에 오래 살다보니 귤 맛에 쓸데없이 고급화되고 깐깐해져서 여간 맛있는 귤이 아니면 맛없게 느껴집니다. 그러다보니 맛없는 귤이 생기면 밀린숙제처럼 남아있죠. 맛없는 귤로 만들던 귤잼, 귤칩, 귤차도 이제는 질려서 만들기 싫고요. 그런데 이 상황에 또 귤이 생깁니다. (시간차가 있이 귤이 생기면 참 좋을텐데 말이죠) 네? 귤 안 받으면 되지않냐고요? 그게 제 의사와는 상관없이 집앞에 귤이 놓아져 있기도 합니다.
그리하여 사정이 비슷한 동네사람들끼리 귤폭탄돌리기 게임을 하는듯한 상황이 펼쳐집니다. 이 게임에서 패자가 된 저는 어쩔수없이 밥 짜게먹고 시원한 맛으로 쌓여있는 귤을 없애갑니다.

V 열매달린
나뭇가지

V 그냥
나뭇가지

V 솔방울들

오름, 숲 다니며
주워온 각종 자연물들

'건축탐구 집'이나 '오늘의 집'을 보다가, 깊게 감명 받은 집이
생기면 갑자기 현실속의 우리집이 구질구질해 보이면서 당장이라도
이사가고 싶거나 리모델링하고싶은 마음이 솟구칩니다.
그러나 현실적으로 그러지 못하므로 살짝 짜증이 올라옵니다.
그러다가 마음진정용으로 본 ▷ 감성브이로그에서 팁을 얻어

나뭇가지, 예쁜 솔방울들을 주워와 집을 꾸미고자 하는데
그것도 부지런해야 할 수 있다는걸 저는 왜 또 잊었을까요?

오름갔다와 지쳐서 창고 구석에 냅두고, 있다는 사실 까먹고
또 줍고, 그렇지만 숲을 걷다가 예쁜것을 발견하고 줍는
내 모습이 다람쥐 같이 귀엽고 그렇습니다 ㅎㅎㅎ
(창고를 치워야 할땐 화난 멧돼지...)

61

구좌읍
민속보존회

얼수

정확히 언제부터인지 기억이 나질 않지만,
사물놀이 소리를 들으면 가슴이 뜨거워 지기
시작했습니다. 올림픽 개회식 볼때처럼
눈물도 글썽글썽거리고요~
이렇게 심장이 반응하는데 나도 사물놀이패에
들어가야겠다 생각하고 요리조리 알아보다가
여의치 않아 포기했었습니다.

그렇게 시간이 흐르다가 2년전 입춘날
문구사앞으로 사물놀이패가 지나가지 않겠습니까?
구경하시는 손님 냅두고 저는 또 뛰쳐나갔죠. 사물놀이패중 아무나 붙잡고
어떻게하면 여기 가입할수 있는지 여쭤봤는데 정신이 없으셨는지
아무말도 하시지 않고 그냥 가시더라구요.
나같이 흥 많은 인재를(?) 받아줄곳 어디없나 좌절하려던 차
이 모습을 본 문구사옆 편의점 삼춘이 저희 문구사 집주인 삼춘이
민속보존회 회원이니 거기에 물어보라고 알려주시지뭡니까?
세상에나! 마상에나! 정말 등잔밑이 어두웠습니다.
이렇게 해서 들어오게 된 구좌읍 민속보존회!
노래방과 방구석에서만 발산하던 저의 흥과 끼를 보여줄때가 왔습니다.
< 끼가 제 기준의 끼... 남이 봤을땐 JUST 꼴값 >

첫 수업날의 흥분과 신남은 지금도 생생하게 기억합니다.
북.장구.꽹과리소리가 둥둥둥 귓가를 울릴때 너무기뻐서 눈물도
조금 났었습니다. 수업이 끝나도 신나는 마음이 도통 가라앉질 않아 애먹었지요.

첫 해녀축제 참가때는 어떻구요. 늘 구경꾼으로 참여하다가
제가 퍼레이드의 공연자가 된 기분은 1년전에 블랙핑크 공연보러간
공연장에서 자신이 아이돌이 되어 공연하게 된 르세라핌의 카즈하와
분명 같은 기분일것입니다. 흥흥흥 제 인생을 재미있는 인생으로 만들어준
구좌읍 민속보존회에 저는 뼈를 묻을것입니다. (회장님 당황 엉)

입춘맞이 길터기

저는 자랑스러운 구좌민속보존회 2년차 신입회원입니다.
작년 탐라문화제이후, 올해의 첫번째 행사가 결정되었는데
아 글쎄 또 비가온다 하지 뭡니까?

근데 대체 왜
나한테 빌고
있는거야?

돌고래 어렸을적

〈제주시 핫데뷔 무대였던 지난 탐라문화제 때도
비가와서 행사 취소될까봐 전전긍긍하며
하느님, 예수님, 성모마리아님, 부처님.
그리고 설문대할망과 돌고래에게 무지하게
빌었었는데, 한 신에게만 집중하지 않아
비는 그치지 않았고, 여러 신에게 빈 결과로
다행히 행사는 취소되지 않았습니다.〉

구좌읍 곳곳을 돌아다니며 봄을 알리는 이 행사가   행여나 취소될까
걱정하고 있는데 나의 동기들은 그저 신이나셨네요.

장구
나

장구
언니1

꽹과리
언니2

나의
동기들

"비야! 눈치챙겨
봄이 온다 잖니~"

"비? 몰라몰라
우선 너무 신나!
그냥 신나!"

"야, 우리
이번에는
막걸리 근처에도
가지말자!"

맞서싸울만큼(?)의 비바람이 불어서, 이번에도 행사는
취소되지 않고 진행되었습니다.

신나게 온 동네방네에 봄을 알리고, 막걸리 한잔 거하게
마실 생각이었는데 마시지 못하였습니다.

신나는 마음에
힘조절 못해서
콩채 잡은 손가락
물집 생기고 터져...

길터기 할땐
신나서 추운지
몰랐는데
바닷가 비바람이
엉 추웠는지 열이 남!

초보답게
장구높이조절 못해서
길터기 내내 장구랑
허벅지랑 부딪혀 아픔!

이래저래 아파서 약먹고, 막걸리는 마시지 못했지만
그래도 행복하고 뿌듯했습니다.
단순히 봄이 왔음을 알리는 전령 역할(?)만 하는줄 알았는데.
세화리 읍내를 풍악을 울리면서 액운과 잡귀를 쫓고,
주요거점지에서는 (파출소, 보건소, 소방서, 하나로마트, 농협, 체육센터등)
무사안녕과 평안을 빌어주는 타령도 불렀습니다.
조진웅배우를 닮은 삼춘이 상황에 맞게 즉석 개사해서 부르시는
모습이 여간 멋있었습니다. 동기언니가 삼춘을 보며 이게 바로
조선의 쇼미더머니라고 ㅎㅎㅎ
저희 문구사를 지날때는 올해 장사 잘되라고 더욱더 힘차게
풍악을 울려주셨습니다. 저도 이웃들의 가게에 지나갈땐
온 마음을 다해 진심으로 무사안녕과 대박을 기원하며 쳤습니다.
아, 그런데 완전동종업 가게를 지날때는 솔직히 진심으로는
못치겠더라구요. (살짝 한박자 쉬기도 함)
이런 저를 보고 친구가 속좁다고 놀렸는데 그 앞에서는 발끈했지만
이렇게 옹졸하게 태어난걸요. 인정합니다. 내년 입춘에는 제가
품이 좀더 넓어졌길 기대해봅니다.

65

수영 줌바

— 동네사람들의 마음을 일렁이게 만들었던 국민체육센터가
드디어 개관했습니다.

도시에 비해 운동 선택의 폭이 매우 좁은 우리는
"수영장이 생긴대!" 정말? ○○ " 무성한 소문이 돌던 시절부터
지금까지 얼마나 손꼽아 기다렸는지 모릅니다.

여러가지 운동중에서 제가 선택한 운동은, (수영)
　　　　　섬에 살지만 바다수영은 너무 무섭다. 고여있는 락스물이 좋아♩
　　　　〈실력과 NO상관〉 늘 춤으로 대화하고 싶어하는
　　　　　　이웃들이랑 어울리다 보니 함께 선택한 (줌바)

올해를 또 헛되게 보냈구나... 라는 생각과 반성에 심취해 있던
연말에 수강신청을 한터라 (화.목요일) 아침 6시 수영수업
　　　　　　〈화.목요일〉 아침 9시30분 줌바수업 이라는
　　　　　　　　무리를 하고 맙니다.

화.목은 갱생을 살고, 나머지요일들은 원래의 나로 사는 이게 맞는건가 싶지만,
늘 그렇듯이 안하는것보단 나으니깐 열심히 도전중입니다.

────────────────────

인물탐구

운동할때
애로사항

눈이 안보이면,
입 모양이
안보여서그런지
말귀도 잘
못알아먹고
자꾸 네?
뭐라고요?

시력이 매우 안좋아 안경을 벗으면
아무것도 보이지 않아요. 얼굴을 상대방
코앞까지 가져가야 누군지 알아볼수 있습니다.
작은동네의 하나뿐인 수영장이라 가볍게 눈인사
나눌 이웃들을 많이 마주칠텐데, 말 안걸고 인사하시면
안보여서 쌩까게 되서　예의없는 사람으로 기억
될까봐 조마조마 합니다. 그래서 눈이 잘 안 보인다는
의사표현으로 눈을 찌푸리고 고개를 쭉 빼고 두리번
두리번 하는데 인상쓴다고 오히려 악효과 인듯 합니다.
그럼 도수있는 수경을 맞춰라 하시는데,
수영장에서 또 막 그렇게 선명하게 보이는건 좀. 흐린눈이 좋아요.
물에 떠다니는 이물질 안보고싶어.

66

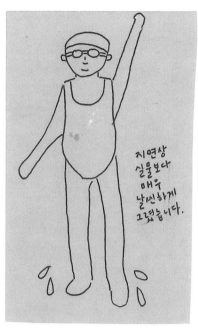

지연상
실물보다
매우
날씬하게
그렸습니다.

ZUMBA

✔오늘 결석할까? 번뇌로 시작해
내가 무슨 부귀영화를 누리자고
이짓을 시작했나 란식하며
겨우 침대에서 나옴

✔ 초급반은 아닌듯 해서 중상급반
신청했더니. 실력이 부족하며
늘 톰에게 쫓기는 제리 꼴
(실력순서대로 출발하는데
꼴찌로 출발한 나. 1등과 만나버림)

✔ 민폐끼치지 않게 빨리가야지!
잘해야지! 엌! 누가 나보고
있는거 아니야? 이런 생각들로
더욱더 못함 (언제까지 눈치보고 살텐가?)

✔선생님이 이렇게 쫓겨다니다보면
어느날 실력이 늘어있을거라 희망을 줌

✔ 자괴감과 상쾌함이 뒤섞인
미묘한 감정으로 수업종료

✔ 못해도 상관없음
기운넘치게 웃으며 신나게
흔들기만 하면 되므로 가벼운 발걸음으로
출석! (결석한번도 안함)

✔ 내 춤사위 외면하고,
친구들의 웃긴 춤사위들 보고있노라면
광대아프게 웃느라 기분이 좋아짐
웃음치료효과가 있음

✔ 강제성, 압박감이 없기때문에
크게 운동효과는 없는 것 같음 (제기준)

이불 빨래

햇빛이 쨍쨍했던 오전, 이불빨래를 널어놓고
외출했는데 시원하게 소나기가 한바탕 쏟아졌습니다.
어쩔수없지 다시 빨아야겠다 생각하며, 집에 돌아왔는데
아 글쎄 빨래줄이 텅 비어있지뭡니까? 바람에 날아갔을까
두리번 두리번 둘러 보니 현관입구에 이불이 곱게 개어져
있었습니다. 누군가 제 빨래를 걷어주신   모양입니다.

세상에! 거기다 저 같으면 걷어놓기만 했을텐데,
애써 빨래한 이불이 더러워질까싶어 신문지를 깔고, 덮어
두셨지뭡니까
마음이 마사지 받은것 처럼 몽글몽글 부들부들해집니다.
그런데 옆집삼춘이 해주신건지, 앞집삼춘이 해주신 건지
모르겠습니다. 아직도 몰라요. 그일이 있고 한동안 마주치질
못해서 ... 가서 물어보지 그랬냐구요? 50% 확률로 아니면
빨쭘하잖아요. 생색 내주시길 기다리는 수밖에 없었는데
끝까지 생색 내시는분이 안계시더라구요.
저 같으면 기뻐하는 얼굴도 보고, 뿌듯함도 느끼고 싶어
먼저 내가 했다 말해주며 엄청 생색 냈을텐데

누군가에게 마음을 쓴다는건 이런건가 봅니다.
무언가를 바라지 않고 < 그게 물질적인게 아닌 나의 뿌듯함을
느끼게 해줄 단지 인사뿐 이라도 ... >
오롯이 그 사람의 안위만을 바라는것인가 봅니다.
생색 좋아하는 저는 이렇게 또 한수 배웁니다

근데 저 옆집. 앞집 삼춘들한테 잔소리도 많이 들음
밤에 현관문. 차문 살살 닫아라 (삼춘네 손주들 공 차는소리
개 짖는다고 혼나고 < 삼춘네 닭은   엄청시끄러운다)
                      대낮에도 밤에도 울면서)

68

스몰토크? 오지랖?

낯 가리는통에 기본적으로 계산할때 손님눈을 안 마주치고
바닥을 보며 계산합니다.   ↵ 나 사대주의 장만아네...

하지만 종종 계산하는 손님에게 있어보이게 말하자면 스몰토크이자
듣는사람 입장에서는 주접이나, 오지랖인 말을 건네곤 합니다.

장사를 시작한지 9년차쯤 되니 손님접객의 여유가 생긴건지
나이들어 부끄러움이 없어진 건지 정확한 원인은 모르겠습니다만

손님에게 먼저 이렇게 한두마디 건네고 웃음이 오가면
지겨웠던 가게일이 순간 즐거워집니다.

그러면서 어떤 순간들이 머릿속을 쓱쓱 스치고 지나갑니다.

- 편의점 삼촌이 오천원 계산해주시면서 오천안원 이라고
  말하던 웃기지도 않던 농담.
- 조용히 밥 먹고 싶은데 김치 찢어주며 옆에서 계속 이야기하시는   ↗ 우리아빠
  식당 아줌마.
- 아저씨의 정치적 사상 안 궁금한데 계속 이야기하는 택시아저씨

지금 생각해 보면 다들 반복되는 지친 일상에서 으샤으샤 다시 시동걸어
~~즐ㄱㅓ운~~ 즐겁게 생각하고, 즐겁게 일해보자는 다짐같은
행동과 말이 아니었을까 싶습니다.

그렇게 깨닫고 나니, 어느가게에 있을때 사장님이나 직원분들이 건네는
시답잖은 농담과 이야기들을 외면할수가 없게 되었습니다.

옆 테이블에 했는데 안 받아주면 내가 초아초아! 내가 대답해버려!
(아닐수도 있지만, 아닐확률 50% 이상이지만) 힘내려 시동거는 사람을
외면할수가 없어요. 손님께서도 제가 시답지 않은 농담을
건네들거랑 쟤가 많이 가게에서 지겨운가보다! 하고 즐겁게
받아주세용 :) 🍉

69

지옥

여러분의 마음속에는 어떤 지옥이 있나요?
저는 마음속에도 지옥이 있고, 냉장고 속에도 지옥이 있어요.
뭐냐면 바로 양배추 지옥 이에요.

건강과 다이어트를 위해서 샀다가
삶고, 씻고, 채썰기 귀찮아 냅두고
양배추는 신선도가 오래가니 나중에 먹지 하고 냅두고
그러다 정신차려보면 손 한번 안댄 양배추 한통이 거뭇거뭇
썩어있습니다.
정말 저 징하죠? 그 오래가는 채소인 양배추를 썩히다니!!!
그런데 더 징한건 뭔줄 아세요? 썩은 양배추를 못 버리고
냉장고 문 열때마다 양배추는 마주치면서
죄책감, 후회, 자아비판 등 온갖 부정적인 감정을 느끼고
있습니다. 이게 바로 냉장고 속에있는 저안의 지옥이에요.
이 지옥 내손으로 없앨수 있는데, 그럴려면 용기가 필요
하더라구요. 내 과오와 마주할 용기

> welcome
> HELL

> 야! 이제왔냐?
> 이 집 냉장고에이
> 먼저왔던
> 내 친구들처럼
> 나도 떠난다!

나만의 냉장고를
꾸리는 어른이 되겠지만,
게으르고 용기없는 어른의
용기없는 처방전 맥주를
마시고 양배추와
이별을 합니다.

> 용기라는 단어
> 이런데 쓰라고
> 있는거 아닐텐데

※ 유사지옥으로는 우유지옥, 두부지옥,
샐러리지옥이 있습니다.
※ 그래서 술 적당히 취하면
밀린 집안일을 뚝딱 해냅니다.

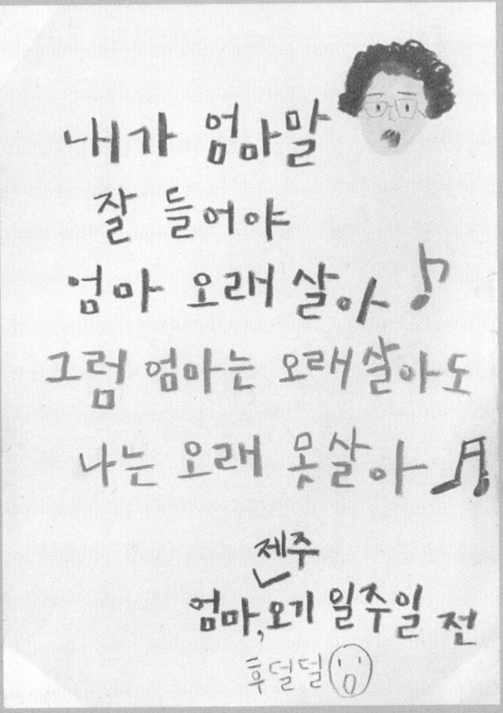

내가 엄마말
잘 들어야
엄마 오래 살아 ♪
그럼 엄마는 오래살아도
나는 오래 못살아 ♬

~~제주~~
엄마, 오기 일주일 전
후덜덜 😮

가수 '싸이'의 유기농펑크포크 앨범(2011) 수록곡
<엄마말> 가사 중

 제주
레이더

읍내가 어쩐지 활기차다 ──▶ 알고봤더니 오늘 오일장날이네

가까운 다랑쉬오름 보이고 ──▶ 미세먼지 보통 수준
먼 한라산 안보인다.

다랑쉬 오름 안 보임 ──▶ 미세먼지 심함
한라산 안보임

비가 온다. ──▶ 농협. 의원. 한의원 대기가 길다.
비가오면 농사도 물질도 못해서

가게 문 열어뒀는데 ──▶ 우뭇가사리 시즌 시작
유난히도 큰 왕파리가 ↳ 4월쯤부터 어촌계 삼촌들이
들어온다. (비유말고 바다에서 건져온 우뭇가사리를
진짜 왕큰파리) 해안도로에서 건조시키는 공동작업을 하신다.
비릿한 냄새때문인지 파리들이 어슬렁거림

하나로마트에서 계산할때 ──▶ 성수기 시작
대기줄이 길다.
아 수돗물 수압이 약해졌다.

──▶ winter is coming
바닷가 모래사장에
갈매기들이 모여 앉아있다.

저 바다 너머 ──▶ 오늘 최고의 날씨
여서도가 보인다.
↳ 전남 완도군의 섬

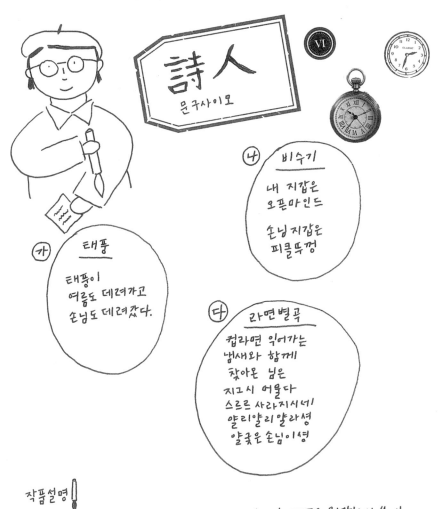

詩人
문구사이모

㉯ 비수기

내 지갑은
오픈마인드

손님 지갑은
피클뚜껑

㉮ 태풍

태풍이
여름도 데려가고
손님도 데려갔다.

㉰ 라면별곡

컵라면 익어가는
냄새와 함께
찾아온 님은
지그시 머물다
스르르 사라지시네!
얄리얄리 얄라셩
얄궂은 손님이셩

작품설명

㉮ 마음의 준비 할 시간도 안주고 여름을 빼앗아 간 태풍을 원망하며 쓴 시

㉯ 이상하게 손님 없고, 돈 없을때 사고싶은게 많아집니다.
(한가하다보니 핸드폰을 오래봐서 그런듯) 내 지갑은 이렇게
오픈마인드로 잘 열리는데, 우리가게 오시는 손님의 지갑은 제발 열려라참깨!

㉰ 한가해서 컵라면하나 먹을려고 물부으면 손님들이 기다렸다는듯이
몰려드는건 유명한 법칙이지요? 근데 꼭 우르르 오셨다가 안 사고
스르르 사라지시더라고요. 울면서 불어터진 컵라면을 먹습니다.

3. 안물안궁 ?!

지나고
나면
별일아니겠지
뭐

내 꿈은 위로전문가

미래의 제 수능성적과 내신을 못 내다본, 어린이 학생시절의 저는
장래희망으로 정신과의사를 꿈꿨습니다.
타인의 힘든 마음을 이해해주고, 고쳐주는게 멋있어보였나 봅니다.
수학의 정석을 펴친후부터 정신과의사는 깨끗하게 잊고 살았지만,
친구들의 고민을 들어주고, 고민을 덜어줄 적절한 위로를 해주는
그 순간들을 좋아했고 또 나름 잘한다(?)라고 생각까지 하며
살았습니다. 그렇게 자부하며 살아가던 어느날 충격적인 사건이 2건
발생합니다.

① 훌쩍훌쩍
"근데 언아
너 정말
위로못한다!"
영혼이 없네...

② 글썽글썽하다
버럭!
"너 그입 다물어!"

어어
아니
그게말야
(당황당황)

처음에는 당황해 친구앞에서 미안하다며 웃어 넘겼지만,
INFP 답게 집에와서 곱씹고 또 곱씹어보니 여간 서운하면서도
화가나기 시작했습니다. 서운한 감정이 커지면 삐지게 되더라구요
(아! 그래서
우리남편 그렇게
삐지나? 근데
뭐가 서운한디?)

제가 건넨 위로는 진심이었습니다.
온 마음을 다해 친구의 마음의 짐이 가벼워 지길
바라며 건넨 한마디였습니다. 또 INFP답게
친구의 상황에 몰입하고 감정이입도 했다 생각했구요

하지만 위로를 듣는이가 아니라면 아닌게 맞겠죠.
시간이 오래되자 제 잘못이 맞다라는 생각이 듭니다.

이제다시
위로안해
말하는 난
지킬수가
없어서 ♪♪
풀린 입이라서
위로옷 참아서
바보처럼
위로안해 말하는
날 사랑해(?)

< 백지영님의 사랑안해 멜로디로
읽어주세요)

번외

저는 위로가 필요할때
제가 듣고 싶은 위로를
말 안해주면
"○○○ 라고 해줘야지!"
라고 정확하게
저의 니즈를 말합니다.
한마디로 답정너죠.
상대방이 정말
어이없어 하겠죠?
그르게요
저도 제가 참 어이없습니다.

위로실패에 대한
자체 분석 & 반성 결과

✓ 사건의 당사자가 아니므로 친구의 마음을 100% 이해할수없다.
   ↳ 그런데 위로 잘 한다는 착각에 빠져 100%. 다 이해했다고
      생각한것 같음. 늘 너의 마음을 다 헤아릴순 없지만
      이라는 전제를 깔고 접근해야 할 것 같음

✓ 우울해하고 슬퍼하는 친구에게 잠시라도 웃음을 찾아주고자
   오바한 것 같음

↳ 웃음과 즐거운 분위기는 중요하지만, 상황 봐가면서 해야지
   내가 무슨 늘 즐거움을 주는 무한도전 같은 존재도 아니고,
   때로는 진지한 분위기로 . 진지한 말투와 태도로 친구의
   짐을 덜어줘야지 까불었던 것 같다.

∴ 그래도, 이야기 들을때 실패한 위로의 말들을 건넬때
   속상한 마음, 아픈마음은 정말 진심이있다. 나 INFP라니깐...

78

지친 오후엔
내게기대
From-코코아

다이어리

책에 써먹을 소재 좀 찾아보고자, 서랍속에 넣어두었던 해묵은
다이어리를 꺼내보았습니다.

하! 건질만한것은 없고, 이제 청년도 아니고 중년의 나이로
가는 제가 이런 하찮은 내용의 다이어리를 쓰고 있을줄
열심히 다꾸하던 과거 중딩의 저는 짐작이나 했을까요?
〈 알았으면 다이어리 안 썼을듯 〉

근 3년간의 다이어리 주된내용을 보자면,

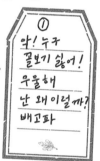

①
악! 누구
꼴보기 싫어!
우울해
난 왜이럴까?
배고파

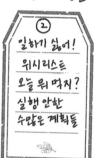

②
일하기 싫어!
위시리스트
오늘 뭐 먹지?
실행 안한
수많은 계획들

분포도
↓

● 1,2월 : 빽빽
● 3,4,5,6,7,8
  9,10월 : 허전
● 11,12월 :
  다시 빽빽빽빽하게
  썼음

살림은 못하지만, 미니멀라이프를 추구하는 엄마덕에 어렸을적
다이어리를 다신 볼순 없지만 창 귀엽고 싱그러운 내용도 많고
지금보다 질적으로 나았을텐데… 그런데 그 다이어리 누가 볼까봐
팔뚝으로 가리고 코박고 썼었지요. 그때는… 지금은 뭐 누가 조금만
내 다이어리에 관심을 준다면 활짝펴서 코앞에 보여줘버리죠
나의 모든걸 보여주고 돌려주고 싶은 관심받고 싶은 중년의 다꾸인

내 비록 청소년때처럼 서정적인 일기는 못쓰지만,
오늘도 씁니다. 오늘의 딸기값을, 요즘 꼴보기 싫은 사람을 … 하나마나한
이렇게라도 다이어리를 써야   소리들을…
이제껏 제가 사들인 스티커, 마테를 사용하고
또 살수있으니깐요. 소비를 위한 일기 끝

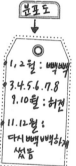

목욕탕보고서

아빠께 제주의 온갖 멋진곳을
구경시켜 드렸더니,
제일 좋았던 곳은 함덕 리조트안에
있는 사우나 였다! 라고 말해 저를 털썩 주저앉게 만든
바로 그 목욕탕을 기준으로 보고서 올립니다.
⟨ 참고사항: 아빠는 목욕탕을 시도때도 없이 가시는 목욕탕 러버♡ ⟩

결	세신사님	터줏대감 손님
재		

목욕탕 배치도

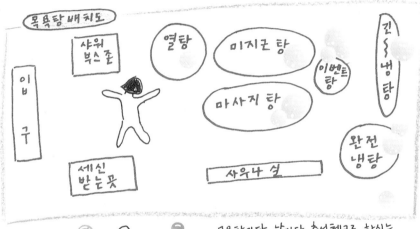

- 입구
- 샤워 부스존
- 열탕
- 미지근 탕
- 이벤트 탕
- 긴 ⟨⟩ 냉탕
- 마사지 탕
- 완전 냉탕
- 세신 받는곳
- 사우나 실

목욕탕마다 날마다 출석체크를 하시는
터줏대감 손님들이 있죠.
이 손님들의 룰이 곧 그목욕탕 전체의 룰이 되기도하죠.
그분들의 심기를 건드리지 않도록 주의하며
이분들의 목욕탕 필수품을 확인해 봅시다.

터줏대감 손님들의 what's in my 목욕 바구니

↳(3단 접이 방석)
사우나에서 오래계시는데,
요걸 꼭 깔고 앉으시더라구요‼️

(사우나 모자)
수건대신 모자를 쓰고있다 그러면 터줏대감 손님일 확률↑

텀블러
사우나내
텀블러반입금지라 더하니 적혀 있지만, 물은 우리가 안든다

열탕 : 온도가 아주아주 뜨거워 목욕탕 애송이들은 꺼려해서 늘 한가한편 입니다.

겨울에는 가게에서 얼어붙은 발가락과 움츠러든 어깨를 지질라고 들어가고, 여름에는 냉탕을 최고로 시원하게 즐기려고 열탕에 가서 몸을 최고로 뜨겁게 만듭니다. 열탕의 뜨거움을 잊을라믄 빨리 다른 생각에 집중해야합니다. 그러다 보면 은근 이 뜨거운 열탕에서 생각정리가 잘 됩니다. 빨갛게 익은 피부와 맞바꿈 생각들

이벤트탕 : 약초주머니가 둥둥 떠있는 탕입니다.
옛날에는 빨갛고 노란물이 우러나는 약초일때도 있었는데 지금은 평범한 색깔의 녹차주머니만 나오드라구요. 은은하게 풍겨오는 약초냄새를 맡으며 눈감고 릴랙스〜 하고 있는데 누가와서 툭! 쳐도 놀라지마세요. 그정체는 바로 탕안을 유유히 떠다니고 있던 약초주머니 입니다. 좋은냄새도 나거니와 어쩐지 끌어안고 있으면 효능이 더 좋을것 같아 약초주머니를 끌어 안았다간 목욕탕 터줏대감 손님들에게 혼납니다. 제가 끌어 안고 있다가 혼나는 사람들을 몇번 목격했다구요. 제가 끌어안은건 아님. 진짜아님 근데 끌어 안으면 안되는 이유를 딱히 모르겠음. 안고싶은마음도없음

마사지탕 : 3명이 앉을수있습니다.
적당한 물의온도와, 중독되는 물살 마사지 때문에 늘 붐비는 탕이지요. 물살을 아픈곳에 직빵으로 맞고싶어 자세를 요래바꾸고 저리바꾸고 하다보니 탕에 앉아있는 자세가 영 남사스럽지만, 몸이 아픈데, 내 부끄러움 따위는 중요치않죠

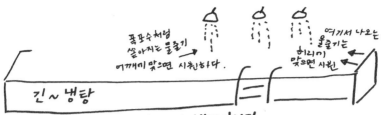

폭포수처럼 쏟아지는 물줄기 어깨에 맞으면 시원하다.

여기서 나오는 물줄기는 허리가 맞으면 시원

긴~ 냉탕

수중파워워킹을 위해 만들어진 냉탕입니다.
걷기운동을 하는 어르신들과 물놀이를 하는 어린이들로 항시
혼잡도가 높은곳입니다.
어린이와 어르신 사이인 저는 여기서 토끼뜀을 합니다.
(수중워킹을 하기엔 젊고, 물에서 놀고싶지만 나는야 어른 → 그리하여 찾은 토끼뜀!)

우리동네에 수영장이 생기기전,
수영장처럼 길고긴 냉탕이 반가워 수영을 어푸어푸하다가
머리카락 물에 떨어진다고 혼났드렸죠. 수영모자를 쓰고하라고...
수영이 아무리 좋아도 깨벗고 수영모자만 쓰는건 뭥 어색하고
이상하다 생각했는데 나중에 보니 정말 그렇게 하시는분이
계시더라구요. ◠◠
수영은 좋고, 수모는 어색한 저는 개헤엄을 합니다.
원래 못했는데 여기서 수영하려다보니 터득해버렸습니다.

열탕과 사우나에서 숨이찰때까지 있다가,
냉탕에 들어가면 가슴속에 있는 뜨거운
무언가가 입밖으로 후~ 나가는게 느껴집니다.
이게 몸의 열기인지, 평상시 내 마음안에 쌓여있던
화와 울분인지 잘 모르겠지만 용가리처럼 열심히
뿜으며 그 순간을 누립니다.
냉탕이 존재하는 한 저는 그 어떤 슬픔과 벅참을
이겨낼 용기가 생길정도로 냉탕을 좋아합니다.

이렇게 목욕탕을 한껏 즐기고 나오면 목이마르지만 절대
탈의실내의 정수기물을 마시지 않습니다.
우리동네에서는 귀한 생맥주를 파는 가게가 함덕엔 여러곳이 있으니
어디로 갈까나하아~ ♬ 콧노래를 부르며 목욕탕을 나옵니다.

마스크

코로나가 창궐하기전에도 가게에서 마스크를 쓰고 싶다는 생각을 했었는데 나름 손님을 응대하는 서비스업이라 생각하기때문에 쉽사리 쓰지를 못하겠더라구요. 그리하여 버스매연도 먹으며, 문구사의 해묵은 먼지들도 먹으며, 겨울에는 히터바람에 → 문구사앞은 코가 건조해져 감기도 호되게 걸리며 살았드랬죠   버스가
다니는
도로

그러다 코로나로 인해 마스크에 대한 인식이 바뀌며(?) 마스크를 벗게 된 지금, 마스크를 써도 수상하거나 의심받지 않는 시대가 도래하여 종종 가게에서 편한마음으로 → 대체 쓰고있습니다.   우엇으로부터?

마스크는 답답하고, 내 입 냄새를 맡아야하기도 하는데 응?
왜 이렇게 악착같이 쓰냐고 물으신다면,
위에서 알씀드린 건강상의 이유도 있지만 또 있죠~ 다른 이유가...

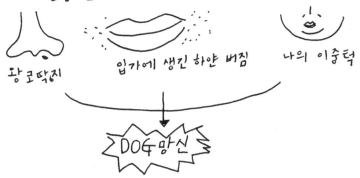

왕 코딱지   입가에 생긴 하얀 버짐   나의 이중턱

DOG 망신

요런것들을 가려주기 때문이죠.
예전에 왕코딱지를 달고 한참을 손님맞이 했던적이 있었는데 나중에서야 코딱지 존재를 발견하고, 직장동료없이 혼자 일해서 이런 불상사가 생긴거라며 매우 슬퍼하고 외로워했죠. 시시때때로 거울로 얼굴상태체크 했으면 될일이긴 하지만 어쨌든 마스크를 쓰고있으면 천하무적이되어 안심하고 계산대에 서있습니다.

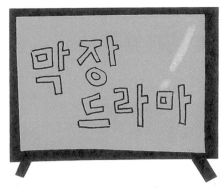

막장
드라마

저는 막장&불륜 드라마를 좋아합니다. (아니 먹고 노는것 이외에는 제가
좋아하는게 뭐 있나 싶었는데... 뭐 좋아한다고 비로소 고백중이네요.
내가 모르는 나를 발견하는게 일기이고 글쓰기 인가 봅니다. 역시
글쓰기란 참 좋은것이구만요) 아무튼 좋아합니다. 막장 드라마를...
아무래도 강건너 불구경 심보라서 재미있어 하는것 같습니다.

이혼하고
싶어서 보냐?

이런 저를 보고 남편은 이혼하고 싶어서
요런 드라마를 즐겨 보냐고 묻는데
종종 이혼하고 싶을때는 있지만 그 끝이
불륜이길 바라는건 아닙니다. 세상에서 없어져야 할 불륜!

그럼 왜 즐겨보냐? 아줌마라서 즐겨보냐? NOPE! 저는 고등학생
시절 부터 즐겨 봤답니다. 그렇다고 닥치는대로 무작정 다~ 좋아
하는건 아니고 나름 기준이 있답니다.

대사량이 적고, 예쁜 화면만   뽀샤시한 화면속에서 둘이 손잡고
많이 나오는건 싫어요   →   바다 뛰어다니는거 덜 궁금해요.
                                폭포수같이 쏟아지는 대사량이 많은
                                드라마를 선호해요.
                                그래야지 다른일을 하면서 귀로만
                                들을수 있거든요. 2X)집안일

주인공들의 주변인물과   →   저는 무남독녀 외동딸로 자라서
그들의 가족들이 많이많이   기본적으로 외로움과 대가족에 대한
나오는 드라마가 좋아요.   갈망이 기본적으로 탑재되어 있습니다.
                                그런데 불륜드라마는 소재특성상
                                불륜을 발견해주는(?) 친구야 가족,
                                같이 슬퍼하거나 분노해줄 친구야 가족이
                                많이 나오므로 몰입해서 보다보면 저도 한가족 같은
                                기분이 들어 외롭지 않아요

85

마더 테레비의 보고 또또 보는 집안일 친구 PLAY LIST ▶

↳ 내가 지은 내 별명 마음에 들어 ㅋㅋㅋ

□ 드라마 '품위있는 그녀' 〈 2017년 드라마, 김희선 김선아 주연 〉
얼핏보면 막장드라마 같지만, 아닙니다!
막장의 탈을 쓴 명작드라마이지요.
장르는 미스테리 반스푼 넣은 코미디라 생각합니다.
주옥같은 대사가 정말 많은데, 그게 인생의 지표가 되는 내용이라긴보다
누구랑 싸워야할때 상대방 약올라 돌아버리게 만들고 싶을때
써먹을만한 대사들 입니다. 저는 싸울때 혼자 흥분해서 말 어버버
하고 자기전에 못다한 말들 생각나 억울해하는 타입이므로
이 대사들 외워 이겨먹고자 몇번이고 또 봅니다.

내 말
알아듣들?

제가 제일 좋아하는 장면은
김희선이 불륜녀를 앉혀놓고 남편을 오래된
만년필에 비유하며 경고하는 장면입니다.
손가락으로 자기머리를 톡톡치며 알아는먹겠냐고 하는
이 대사! 아휴 김희선편인데도 너무 약올라!
통쾌해 죽겠어 증말 흥흥 자연스럽게 튀어나오도록
저도 거울을 보며 연습합니다. 내 말 알아듣들?
막장드라마 아니야! 꼭 보라구~ 〈죄송합돠~〉

□ 애니 '아따맘마' : 비슷한 만화인 짱구는 귀엽고 웃기긴 한데,
ㄱ인 저는 짱구를 계속 보고있으면
기가 빨리는것 같아 오래는 못보겠더라구요.
심슨은 제가 미국식 유어와 사회·정치·문화를 잘 몰라서 그런가 이해를
못할때가 많아 패스하고, 마음의 안식처인 아따맘마를 반복시청합니다.
아따맘마는 현실적이고, 어렴풋이 알고는 있지만 확실하게 자각
못하고 있던 일상속의 따뜻한 부분을 잡아낸 에피소드가 많아 좋아해요.

ㅁ 드라마 '막돼먹은 영애씨' tvn의 개국공신이죠.
무려 2007년도에 시작해 2019년 시즌17까지
나온 국내 최장수 시즌 드라마입니다.
엄청난 악역이나 복잡한 스토리가 없어, 아파맘마와 같은 맥락으로
좋아합니다. 그런데 아파맘마처럼 따스하지는 않아요. 매우 현실적이라...
지금 다시 보면 잉? 이런말을? 이런 내용을? (ex) 성희롱. 여자나이.
직장근무조건 등등) 잉? 스러운 내용들이 많은데 그만큼 우리 사회가
빠르게 변했다는걸 느낄수있어요. 원년멤버들이 나오는 시즌18이
제작되길 목 빠지게 기다리고 있습니다.

ㅁ 드라마 '멜로가 체질' 캐스팅, 연기력, 대본, OST
그 무엇하나 빠지는게 없는 명작입니다.
(불륜드라마 X 청춘드라마 O)
영화 극한직업의 이병헌 감독이 연출과 극본, 천우희, 전여빈, 한지은 안재홍 출연
방영당시에는 시청률이 저조했으나 뒤늦게 입소문이 나 많은 팬들이 생겼지요.
이 드라마 역시 수많은 명장면이 존재하지만,   ↳ 저도 그중하나
제가 제일 좋아하는 장면은
촬영현장에서 광고감독인 손석구가 화내며 막무가내 욕을 하자,
전여빈이 적당히 하라고 제지하는 장면입니다.
개새끼라고 욕한 손석구에게 개새끼가 아니고 "사람이야, 귀한 사람이야
니가 뭔데 지랄이야!" 라고 속시원하게 사이다를 날리는데/
하... 나중에 누가 나한테 개새끼라 하면 써먹어야지 하고 또 저장 저장
그런 전여빈을 보고 손석구는 "You win"이라고 말하는데 고것 또한 웃음버튼
다짜고짜 욕하고 싸우는 장면을 소개해서, 가벼운 드라마라고
생각하실수 있겠습니다만, 물론 코믹스러워서 가볍긴 하지만
마냥 그러진 않고 삶을 관통하는 메세지들도 많이 나옵니다.
예를들면 "지금 느껴지는 재수없음은 잘나가는 자 본연의 재수없음인가?
잘 나가지 못하는 내 시선이 안둜이번 가짜 재수없음인가?"
누가 꼴보기 싫을때 마다 떠올리는 대사입니다. 쓰다 보니깐 또 보고싶네요.
아! 주인공들이 제주맥주를 PPL로 많이 마시니, 맥주준비하고 보세요.

제주도 동쪽마을, 우리동네 구좌읍에 오래 머물게 되면 아무래도
동녘도서관도 한번 가보실래요? (권유) ← 한달이상이
좋겠네요.
제주엔 멋진곳이
워낙많아

유명한 건축가가 설계한것도 아니고
엄청난 시설과 규모를 가진것도 아니지만
고운 이름의 동녘도서관이 어쩐지 끌리지 않으시나요?
동녘 동녘 이 예쁜단어를 살면서 발음할 날이 별로 없었는데
이제는 우리동네 도서관 덕분에 실컷 발음할수있지요 (자랑)

좁거나 더워서 창문을 꼭꼭 닫는 계절이 아니라면,
창가에 앉아 시간을 보내보세요.
창문넘어 바로옆 학교에서 들려오는 소리들이
학창시절 도서실에 앉아있는 것처럼 시간여행을 시켜줍니다.
점심시간 매점에서 과자사서 운동장에서 광합성 하던
시간들도 생각나고 아련해지고 마음이 평화로워집니다.
어쩌나 마음이 평화로운지 평화와 편함을 구별 못하고
똥이마려워 금새 자리에서 일어나 집에 돌아옵니다.
저는 외변을 못하그등요 (안물안궁 sorry)
T.M.I

도서관 앞마당이자, 학교 운동장 옆 의자에
앉아 책 읽는 걸 좋아합니다. 그런데 자주는
못해요. 지나가는 동네사람이 쟤 왜 저기서
똥폼 잡고 있나 할까봐요. 으흉 웃났다 정말

심심한 날의
......
오후 다섯시

김용택
지음

동녘도서관에서
읽었는데 좋았던 책

몇년전 어느날 갑자기 마음의 병이 발병해서
"에라! 모르겠다 돈도 좋지만 나부터 숨쉬고
살아야지" 하고 문구사를 길게 쉬었습니다.
그 당시에는 내가 왜 이유없이 이 지랄인가
의문이었지만, 지금 생각해보면 번아웃이
아니었나 합니다. 주위사람들이 봤을땐 응?

에라! 라고
해서 쉽고 빠르게
결정한것 같지만
긴 고민 끝이었습니다.
여름성수기 였고들요

너같이 게으른 사람이 무슨 번아웃이냐. 하겠지만 <특히 남편과
우리아빠> 제 수준에서는 그게 하얗게 불태운 상태였던것 같습니다.

암튼 문구사문을 닫았지만, 딱히 할일도 갈곳도 없던 저는
도서관을 갔는데 거기서 저는 마음의 병이 생긴 원인을 찾고
방황을 비교적 빠르게 마쳤습니다. 역시 모든 길은 책에있어!
제가 깨달음을 (?) 얻은 글 일부분을 옮겨봅니다.

- -
땅을 향한 노동과 인간의 정직한 몸놀림을 기계는 생략시켜버리고
순식간에 결과를 가져와 허망하게 만든다.
노동후에 오는 허무는 달콤한 휴식이고,
기계적인 작업후 허무는 멍멍하다.
무엇인가 무시당하고 소외당하고 삶을 투다닥 해치워 버린 것 같은
허무앞의 무료가 통증이 된다.
그런 공허가 가져온 방황이 공포가 되어 사람들의 일상을
불안하게 하고 초조하게 하는지도 모른다.
- -

그래! 나는 정신적으로는 힘들지 몰라도 한여름에 햇빛도 못보고
에어컨 밑에서 시원한 바람쐬며 육체적으로 너무 편하게 일했어!
나의 노동은 정직한 노동이 아니어서 마음이 괴로웠던거야!
그리하여 우선 마당잡초 뽑기하며 땀을 흘려보자 했다가,
하루 뽑고 더위먹고 다음날 바로 문구사 영업을 재개했습니다.
그렇지만 땅을 향한 노동을, 농사짓는 꿈을 아직 버리진 않았습니다.

89

내가 뭐든 책 추천?
그래도 너무 좋았기에 추천합니다.

나의 문구 여행기 -문정연

제목 그대로 문구를 좋아하는 문구인이 문구여행을 떠난 이야기입니다. 동네언니가 갖고 있는걸 보고 빌려서 읽기 시작했는데, 하... (탄식중) 읽다가 곧 책을 덮었습니다.

나는 문구사 사장이라고 할수없어! 문구에 대한 사랑도 지식도 부족해! 문구사라는 간판을 떼내야겠어! 자격이 없어! 온갖 자괴감으로 쌩쑈를 하다가 " 나같은 얕은 사랑도 사랑은 사랑이다." 라는 정신승리의 결론을 내리고, 공부하는 마음으로 책을 다 읽어갔습니다.

혹시나 행여나 이 책이 문구에 관한 이야기인줄 알고, 선택하신 독자분들께 지금 읽고 계시는 심심한 위로와 사죄의 말씀 드리며 "나의 문구 여행기" 책을 살포시 추천드리겠습니다. 더불어 문구를 사랑하시는분이라면 대부분 아실 베스트셀러이지만, 저같이 문구유사 얕은 사랑중이신 분들이 모를까봐 추천드리는바입니다. 같은 맥락으로 <태국문방구>-이현정 책도 추천합니다.

✓ 내 손으로, 발리
✓ 내 손으로, 치앙마이 -이다

제1 책이 동네노래교실 수강생이라면, 이다작가님의 책은 그래미어워드 수상자이죠. 첫책부터 최신작까지 모두 빼먹지 않고 읽었습니다. 발리와 치앙마이를 여행하며 손으로 써내려간 그림일기, 여행기입니다.

여행을 하다보면 정신팔려 사진찍기 어려울때도 있는데, 여행의 모든일정을 그려서 기록하시다니! 작가님이 사시는 방향으로 존경의 눈빛을 쏘아올립니다. 계속해서 피식피식 웃음이 나오는 내용도 내용이지만 이미 책 자체가 예술 그 자체 아트북이라 소장가치도 충~분합니다.

4. 어디 감수꽈

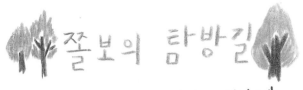

쫄보의 탐방길

나 지나간다 알아서 비켜!!

저는 동네에서 알아주는 걱정많은 사람입니다.
희박한 확률로 일어나는 사건사고들이, 나한테만 비켜갈일없다!
라는 주의입니다. (재미있게 봤지만, 제일 싫고 짜증나는
영화가 데스트네이션 시리즈 입니다. 혹 안본사람 있으면
보지말써양. 불안장애 생기는 영화넘게... 감독 제작자 나쁜놈)

평화만이 가득차있을것 같은 제주의 오름과 숲길에서
저는 또 무엇에 쫄았는가? 그것을 알려드립니다.

소 : 제주의 오름은 말이나 소들을 방목해두는 마을목장인
경우가 많습니다.
순딩순딩해보이는 소의 눈망울을 봐라! 쫄 이유가 없다지만
막상 마주치면 생각보다 큰 덩치에 놀라고,
거기에 여러마리 무리지어 있으면 단체로 나 들이받을까봐
놀라서 그 자리에서 얼음이 되어버립니다.
남편이 옆에서 아무리 괜찮다해도 마동석이 아닌이상
큰 의지는 안됩니다.
사람 많은 오름 싫다고 한적한 오름 일부러 멀리 찾아갔는데
매복해있던 소떼들 마주치고 왔던길로 줄행랑치는
덩치큰 소피 인간 저 입니다. 바로

멧돼지 아직 제주에서 멧돼지를 마주친적은 없습니다.
하지만, 막 지나간듯한 선명한 발자국은 본적이 있지요.
(아니 어렸을때 보물찾기 보물은 징하게도 한번을
못 찾드만 수풀속으로 들어가는 뱀. 이상한 작은벌레
이런건 유난히 잘 봄)

까꿍

96

또 나 잘보인거 있고,
한적한 탐방로를 찾았다가 [멧돼지 출몰지역 or 멧돼지 만났을때 주의사항] 안내판을

보고나면, 그때부터 내등에선 식은땀이 줄줄줄 🔥🔥🔥
                        내 두귀는 쏘머즈 🎧 쫑긋쫑긋
두발로 걷고있는지, 네 발로 기어가는지 모르게
정신이 혼미해져 탐방로를 걷습니다.
힐링하러 온거 아니냐고 ??? 긴장100%. 상태뭔디!

결론 : 이런 온갖 방해물이 있지만, (달랑 두개여...)
제가 또 길을 나선다는 것은 정말 좋다는 거〰!
무엇이 좋냐면, 저는 고질병인 편두통이
있었는데요, 쉬는날 부지런히 오름으로 숲으로
다닌이후에는 편두통이 거짓말같이 사라졌어요.
편두통이 정말 심해서 약도 잘 듣지않고,
어떨때는 극심한 통증에 괴로워 차라리 망치로
제 머리를 부셔 버리고 싶다는 무서운 충동까지
들었습니다. 이제는 옛말
전국의 편두통人들이여! 숲으로 갑시다。
    제주도로 이사오면 더 좋고요ㅎㅎㅎ

물영아리오름

지금은 막장드라마아래의
아류(?)이지만, 초창기
작품들 흥행했던 피비선생님작품

옛날옛적 드라마 인어아가씨의 주인공 이름 '은아리영'이
떠오르는 물영아리오름에 다녀왔습니다.
저는 맑은 날 다녀왔는데, 돌아와서 검색해보니
비가 촉촉하게 내리는 날도 신비로워 참 좋더라구요.
물의 수로신이 산다는 말이 전해져 내려온다니!
비오는 날의 물영아리 오름 더욱더 끌리네요.

물이 고이는게 귀한 제주에서
여기 물영아리오름은 특이하게도 정상에 습지가 있습니다.
저는 여기 습지옆에서 노루 풀 뜯어먹는 소리를 ASMR 처럼
들고왔습니다. (육지의 여행객이 와! 고라니다 라고
외치는데 노루라고 알려주고 싶었지만 뭐래 나대냐고
할까봐 입 꾹 다물었음)   └→ 그럴 관상이
                                        아니었지만.
                                        난 걱정쟁이닝께
육지에는 고라니가 많지만, 제주에는 고라니는 없고
저처럼 겁이 많은 노루만 있답니다.
얼마나 겁이 많은가 '노루 지 방구소리에 놀란다' 라는 속담도있어요.
난 그정도는 아닌디 흥흥 (내 방구에 질식하기는 해도ㅋㅋㅋ)
아무튼, 탐방로가 여러가지 있는데
계단코스가 보이면 피해서 옆 둘레길로 올라갔다가, 정상찍고
계단길로 하산하는 코스를 추천합니다. (무릎아픈 사람은 반대코스로...
                                    난 무릎도 아프고 숨도 찬디
                                        어디로가냐...?)

우진제비오름

탐방코스가 길지는 않습니다. 그래서 운동보다는 산책느낌!
그러나 조금은 외진곳에 있어서 혼자가지말고 여럿이서 가세요.
(대중교통으로 가기에도 잔매 어려움. 아니 많이 어려움)
오름중간에 작은 샘이 있습니다. 샘옆에는 작은 벤치도
있지요. 그래서인지 아기자기한 느낌이 가득 있는
오름입니다. (계절과 날씨에 따라, 또 기분에 따라,
느낌다르다는 점 아시지요? 뭐여 아기자기 하다며?
이 음침한 숲은 뭐여 너무 싫어! 할수도 있지요)
4월에 우진제비오름을 다녀왔던 저는
여기 샘물에서 개구리알과 올챙이를 잔뜩
봤습니다. 끼야 끼야악! 너무 징그러워
함시롱 계속 들여다 보았습니다 (징그러워도
눈을 못떼는 배꼽냄시같은 중독성)
어렸을때는 개구리알을 슬라임처럼 만지며 놀았었는데,
어른이 되는 몇십년동안 무슨일이 있었길래 개구리알을
징그러워하는 어른이 되었을까요?
어렸을적 이해안되는 어른의 모습이 바로 미래에서온 저였네요.
휴~ 여러분이라면 돈 얼마주면 개구리알 만질수 있을것 같나요?
라고 물어볼뻔 아니 결국 물어보았네요.
이렇게 제가 세속적인데, 때때로 때묻지않은척 하며
문구사이엿 하고있네요.

안 유명한
오름 추천할때,
괜히 자신
없어져
미리선수친거임

내
새
잘
끼
고
있
었
는
데

졸졸졸♪

99

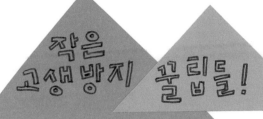

작은 고생방지 꿀팁들!

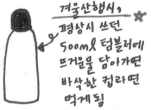

겨울산행시, 평상시 쓰던 500㎖ 텀블러에 뜨거운물 담아가면 바삭한 컵라면 먹게됨

내껀 퇴근후에도 뜨끈하던데요? NO! 겨울산 낮은 기온에 오래 노출되면 소용없음. 차디찬물

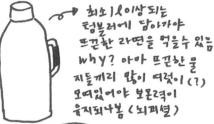

최소 1ℓ 이상 되는 텀블러에 담아가야 뜨끈한 라면을 먹을수 있음 why? 아마 뜨끈한 물 지들끼리 많이 여럿이(?) 모여있어야 보온력이 유지되나봄 (뇌피셜)

네? 그래서 1ℓ 보온병을 사시겠다구웃?

샀을때 장점 ① 겨울산에서 뜨거운 라면을 먹을 수 있음

샀을때 단점 ① 비쌈

② 산에 갈때 빼고 잘 안씀

③ 산에 가져갈때도 문제임 : 물 넣기전 비어있는 자체로도 이미 무거움. 중력을 거슬러 산에 갈때 내몸 하나도 무겁고 다른 준비물도 많은데 보온병까지 무겁다니!

그래서 어쩌라고 산에가서 굶으라고?

난 그냥 친구한테 빌릴래... (오! 그런방법이있군)

맛도다양함 : 라면맛. 미역국맛. 짬뽕맛. 짜자장맛 등등

전투식량 발열도시락

500㎖ 생수

술가락도 들어있음

찬물만 부어 바로먹는 발열도시락을 챙겨가세요. 무거운 보온병 없이 먹던 일반생수 500㎖만 있으면 뜨끈뜨끈한 밥을 먹을수 있습니다.

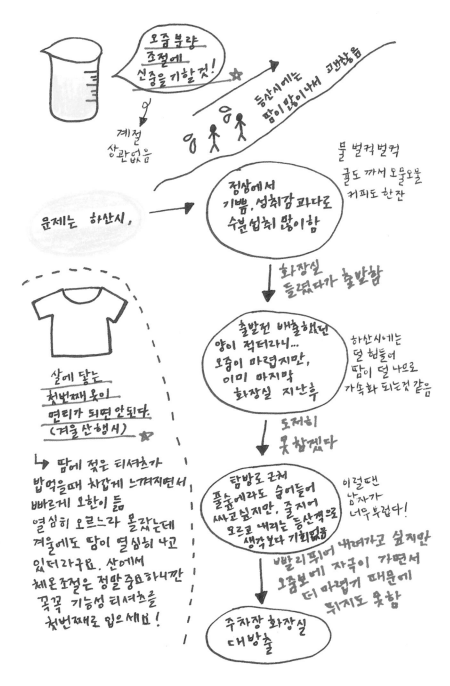

오줌 분량 조절에 신중을 기할 것! ☆

계절 상관없음

등산시에는 땀이 많이 나서 괜찮음

문제는 하산시,

정상에서 기쁨, 성취감 과다로 수분섭취 많이 함

물 벌컥벌컥
굴도 까서 오물오물
커피도 한 잔

화장실 들렀다가 출발함

출발전 배출했던 양이 적더라니...
오줌이 마렵지만, 이미 마지막 화장실 지난후

하산시에는 덜 힘들어 땀이 덜 나므로 가속화 되는것 같음

도저히 못 참겠다

살에 닿는 첫번째 옷의 면티가 되면 안된다.
(겨울 산행시) ☆

↳ 땀에 젖은 티셔츠가 밥 먹을때 차갑게 느껴지면서 빠르게 오한이 듦 열심히 오르느라 몰랐는데 겨울에도 땀이 열심히 나고 있더라구요. 산에서 체온조절은 정말 중요하니깐 꼭꼭 기능성 티셔츠를 첫번째로 입으세요!

탐방로 근처 풀숲에라도 숨어들어 싸고싶지만, 줄지어 오르고 내리는 등산객으로 생각보다 기회없음

이럴땐 남자가 너무 부럽다!

빨리뛰어 내려가고 싶지만 오줌보에 자극이 가면서 더 마렵기 때문에 뛰지도 못함

주차장 화장실 대방출

성산일출제의 추억

제주도 동쪽마을의 일년중 가장큰 행사, 성산일출제!
패거리 지어 놀기 좋아하던 제주이주 초창기 시절에는
저녁 8시쯤 성산일출봉으로 출발해 마을 부녀회에서 하는 주막에서
뜨끈한 국물요리와 술로 몸을 따습게 데우고 축하공연들을 보며
흥을 충전해 갔지요. 이제는 체력도 줄어들고, 친구도 줄어들어
느즈막히 자정이 가까워질때쯤 도착합니다.
제주로 이사오고난후 한번도 빠짐없이 왔던 일출제라 (조류독감와 코로나로
 취소되었던 해 빼고)
약간은 흥미가 떨어져 31일 낮에는 갈까말까 고민하지만,
행여나 새해에 안좋은일이 생기면 그건 일출제를 안갔기때문일까봐
옷 단단히 여미고 매해 출석중입니다.
  성산일출봉에서 카운트다운을 하고 불꽃놀이를 감상하는게 이제
  새해   우리집의 전통중하나가 된듯해 뿌듯하네요.
            ↳ 사설 전통 이거 하나뿐 ㅋㅋㅋㅋ 있어보이고
                                           싶다궈
      매해 기억나는 작은 추억들이 있지만,
      유난히도 기억에 남는 일출제는   → 2011년으로
                                            추정
주막에서 옆 테이블 할아버지와 합석해 친구가 되었던 해

성산읍에 살고 계신다는 혼자오신 할아버지와 눈 마주쳐 짠 한번
한것을 시작으로 남편과 저 할아버지 셋이서 걸쭉하게 취할때까지
마셨었죠. 셋이서 얼싸안고 사진도 찍고 할아버지집 전화번호도
받았었는데, 축제의 마지막 하이라이트 강강술래하다가 종이 잃어버려
이것이 할아버지와 첫 만남이자 마지막 만남입니다.
이름도 성도 이제는 얼굴도 기억안나는 할아버지를 매해 12월31일마다
떠올립니다. 그때도 연세가 무척 많으셨기에 십년이 넘은 지금
살아계실까 하는 생각도 지울수는 없습니다. 어디서든 일출제는 함께해요.
                              (에끼 이놈아 나 눈뜨고 살아있다!)

육지에 갔다

나는야 중학생 시절
아침에 머리 감고 등교해도 점심되면
뒷자리 친구가 머리 안감고 왔냐고
물어보던 지성두피 소유자

그리하여 기름질까봐
새벽같이 일어나 샴푸 2번이나
했건만, 이제 김포공항
벗어났는데 벌써 기름져
들러붙어 있다.

육지간다고 설레고
비행기 탄다고
긴장해서 머리
많이 넘겨
기름끼 가속화된것으로
추정

① ◄

②

육지온김에
가게에 필요해서 사고,
제주보다 싸서 사고,
추가배송료 내느니
내가 들고 다니자
하여 또 사고
그러다 보면 비닐봉다리가
주렁주렁! 핫플갈때
내 비닐봉다리 부끄러움
바스락바스락

③

④ ◄

① 우리동네에서는 그래도 하얀편에
속했는데, 서울에 오니 밀가루 같이 하얀 사람
왜 이렇게 많냐?
거기다 쇼핑몰 밝은 조명아래 반짝거리는 거울에 비친
내 얼굴에 이렇게 기미 잡티가 많았나?
돌아와서는 괜시리 비타민C 화이트닝화장품을 검색해 봅니다.

② 얼마안입은 경량패딩이 작은구멍이 생겨 깃털이
한두가닥씩 빠져나오길래 유리테이프로 붙여두고
신경도 안쓰고 살았는데 (심지어 쿨하다고 생각했음)
이 잠바를 입고 온 내가 너무 부끄럽다. 왜 입고 왔을까?
서울사람들은 옷도 다 쟈클한것 같다.
　　　　　　　　　→ 반지르르하다는뜻의 전라도 사투리

③ 전신거울, 유리 쇼윈도가 잘 없는 곳에 살다보니
밖에서 내 전신샷을 처음 봤다.
지하철 안전 스크린도어에 비친
무릎이 늘어나 툭 튀어나온 내 청바지
쇼핑몰이
없어서 그럼

④ 나름 깨끗한 운동화를 골라 신고 갔는데도,
지하철에 앉아 사람들의 신발을 쭈욱 둘러보니
내 신발이 제일 더럽다.
갑자, 당근의 고장에서 묻혀온 곱고 검은흙이
잘도 붙어있는 내 운동화

※ 이 모든건 제 개인적인 의견입니다.
제주에 산다고 다 저같은건 절대 아닙니다.
시골자격지심으로 범벅된 저의 이야기 입니다.
서울사람들 아무도 신경안쓰는데, 나도 참...

105

여행하다가 마음에 든 동네를 만나면
그곳에 살고있는 나를 상상해보지 않나요?
별다른 기술도 경력도 없는 저는 또 그곳에서 문구사를
차리는 상상을 해봅니다. (문구사 안망하고 9년째째
운영중인것이 내 인생최대업적ㅋㅋ)

반달곰 문구사

지리산에는
반달곰들이 살고있대요.
가슴에 V자 모양이 있어
이름이 반달곰! 제 오른팔에
반달곰과 비슷한 점이 있어
어쩐지 친근합니다.
내 스벅 닉네임도 지리산반달곰

지리산자락 구례가 저는 참말로 좋더라구요.
진지하게 이사갈까 고민했던 곳입니다.
지리산은 짧은 노고단코스만 맛보고 왔지만
참 좋아합니다. 오르는데도 마냥 좋은
이 기분. 산티아고 순례길 처럼 제 인생에
정말 힘든 순간이 찾아온다면 망설임없이
지리산종주를 떠나고싶습니다. 보험처럼
여기는곳이지만, 기쁠때 가면 더 좋겠죠

사과 문구사

우연히 보게된 시골집민박 사진때문에
처음 가게된 경북 봉화군 입니다.
늦여름에 찾아간 봉화는 정말
촉촉하고 맑고 울창한곳이 없습니다. 봉화에서
사과가 주렁주렁 열린 사과나무를 처음봤지뭐에요. 여러분들이 콜밭에서
사진찍듯이 저도 처음 본 사과나무를 열심히도 찍었습니다.
아! 호두나무도 이곳에서 처음 봤어요. 진짜 잘생긴 나무였더라구요.
백두대간 협곡열차도 타고, 백두대간 수목원 호랑이도 보았지요.
여행 내내 비가 촉촉하게 내리고, 안개가 껴서 그런지 (그래도 정말
봉화여행이 꿈처럼 느껴지네요. 꼭 다시한번 더   좋았음)
가고 싶은 여행지 입니다. 이번에도 가서 좋으면 사과문구사 개업!

OKinawa
오키나와

코로나가 끝나면 나는 제일 먼저 어디로 여행을 떠나게 될까
참 궁금했는데, 얼떨결에 이웃언니 따라서 일본 오키나와에
다녀왔습니다. 새벽같이 일어나 첫 비행기 타고 인천공항 갔는데
오키나와행 비행기가 제주도 한가운데를 가로질러 지나갈땐
어찌나 억울하던지요. 별게 다 억울하다 싶긴하시겠지만 억울했음!
매우

슝~

어라
아까 지나가지
않았음?

〈한라산〉

늘 하와이나 오키나와를 가보고 싶다하면, 제주도랑 비슷하다 차라리
다른곳을 가라는 소리를 종종들었는데 첫! 가보니깐 제주랑 완전
다르더군요. 물론 솔직히 말해서 여기저기 다니다가 여기는
구좌읍 어디같고, 저기는 서귀포시 어드메 같다고 비슷한점 찾기
놀이를 하긴 했습니다만 오키나와는 제주와 다른매력으로
참 좋았습니다.

유럽은
너무 멀고

소매치기
너무 귀찮고
신경쓰여

모처럼의
여행인데,
휴양지느낌
가득한

동남아도
너무 좋지♡

귀여운거
구경&쇼핑
일본도 좋지

이렇게 생각하는 사람에게 (바로 나) 딱 인
여행지 였습니다.

일년내내
,따뜻한 날씨여서
때온에 동남아 같은
분위기의 건물들과 꽃들

< 쥬라기공원
모자 >
어렸을적
쥬라기공원 영화를
보면서 티셔츠를
정말 갖고 싶어했는데...
잊고살다가 이 모자를
운명처럼 발견! 내 머리에
좀 작지만 상관없음! 날마다 쓰고다닌다.
잊어버릴걸 대비해서 그개사둘껄...

여행지에서
컵은 못참는 기념품이죠.
가벼운 플라스틱이라
부담없이
들고옴.
물컵으로
애용중♡

< 오키나와 스팸
플라스틱 컵 >

SAKURA
CRAY-PAS

< 사쿠라크레파스 >
정말 부드럽게 그려져서 제가 좋아하는
크레파스입니다. 입간판들 요걸로 그림!

우리나라의
깻잎.
태국의 고수같은
일본의 향신료
'시소'풀을
좋아합니다.

어느식당에서
철판에 버터
넣고 구운 생선을
요 소스에
찍어먹었는데
WOW~
마트를
털밤히뒤져
사왔습니다.

< 시소맛이나는
간장소스 >

문구사에서
포장봉투에
찍을 생각으로
샀습니다.
올 여름에는
꼭 찍어드려야지.

< 파르페가 그려진
큰 도장 >

영화 '아무도모른다'을 보신분이라면
아폴로 초콜릿게 아련한 마음이 있으실겁니다.
(일본의 유명한 초콜릿) 볼펜으로도 있길래
너무 귀여워서
샀습니다.
아까워서
못쓰고있어요.

< 아폴로 초콜렛 볼펜 >

5. 이모는 장사꾼 I ♥ MONEY

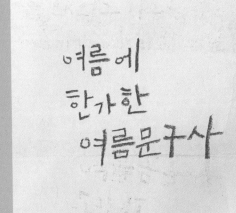

여름에
한가한
여름문구사

↳ 문구사 운영 메커니즘

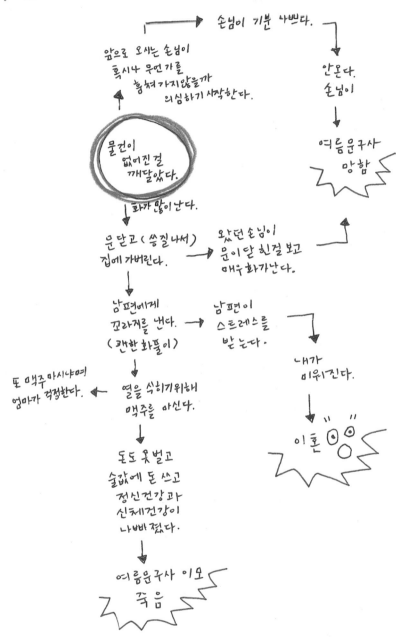

손님이 기분 나쁘다.

앞으로 오시는 손님이
혹시나 무언가를
훔쳐 가지않을까
의심하기 시작한다.

안온다.
손님이

물건이
없어진 걸
깨달았다.

여름문구사
망함

화가 많이 난다.

문 닫고 (쌓질나서)
집에 가버린다.

왔던 손님이
문이닫 힌걸 보고
매우화가난다.

남편에게
꼬라지를 낸다.
(괜한 화풀이)

남편이
스트레스를
받는다.

또 맥주마시냐며
엄마가 걱정한다.

열을 식히기위해
맥주를 마신다.

내가
미워진다.

돈도 못벌고
술값에 돈 쓰고
정신건강과
신체건강이
나빠 졌다.

이혼 👀

여름문구사 이모
죽음

문구사에서 판매하는 상품들 옆에는
상품설명을 써놓은 작은쪽지들이 붙어 있습니다.

손님들께 하나라도 더 팔아보려고,
상품의 장점, 사야 하는 이유등을 구구절절 써놓았습니다
직접 말로 설명드리면 좋겠지만, 낯가리는 성격탓에
종이에...

몰래 뜯어보지 말아다오
이오도 너희가 원하는거
골라서 주고 싶지만,
이오도 포장된 상태로 받아
어쩔수가 없다.
원하는거 안나와도 울지마라
원래세상은 내뜻대로 되는거
잘 없어⋯⋯⋯

5.500₩

여름문구사
랜덤 뽑기

꿀타민
5,000₩

From.
제주 야생화
꿀

KBS
생로병사의 비밀, KBS 명의
TV 프로그램이 미칠듯이
~~시청하는~~ 흥미로워지는
30대에게 선물로
추천합니다.

입만열면 건강이야기인
3~40대들 우리 다같이
호상으로 죽읍시다. 화이팅!
우리 존재

여름문구사
제주 야생화꿀

여름문구사

트럭 시리즈 떡메모지

13,000₩

수년전 우리집 막내개가 강아지
이던 시절. 귀여운 방울이 달린
목걸이를 해줬는데
그게 적당한 박자로 들려오던
방울소리가 빨라지거나,
안들리면 사고치고 있거나
없어진건 아닌가 가슴이 철렁
했지요. 이 인형의 방울소리를
들으니 옛기억이 떠올라 적어봤어요.
그때 더 많이 예뻐해줄걸.. (살아있음)

여름문구사

방울 달린 고양이 인형

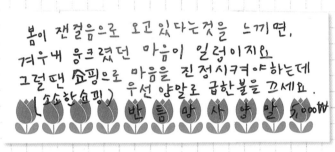

봄이 잰걸음으로 오고 있다는것을 느끼면,
겨우내 웅크렸던 마음이 일렁이지요
그럴땐 쇼핑으로 마음을 진정시켜야하는데
(소소한쇼핑) 우선 양말로 급한불을 끄세요.
반 틈 양 사 양 말 5,000₩

여름문구사
봄 양말

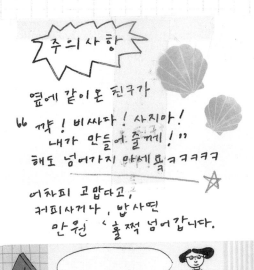

주의사항

옆에 같이 온 친구가
"꺄! 비싸다! 사지마!
내가 만들어 줄께!"
해도 넘어가지 마세요ㅋㅋㅋㅋㅋ

어차피 고맙다고,
커피사거나, 밥사면
만원 ~ 훌쩍 넘어갑니다.

여름문구사
손뜨개 제품

※ 아무리 만져봐도
알 수 없게끔
포장되어 있음!

9,500₩

마음을 비우고
뽑아가세요!
라고 하기엔
나도 그러지 못하네....

여름문구사

피규어 랜덤 뽑기(불투명 비닐 포장)

고기먹고 볶음밥 못참듯이,
샤브샤브 먹고 칼국수 못참듯이,
저는 이렇게 손글씨와 손그림으로 채워진 책을
너무좋아해 못참습니다. 너무 귀엽고 알차서 판매까지!
학창시절에 자기 다이어리 구경 시켜주는 친구가 종종 있었는데,
전부 다 아는 친구의 일상이지만, 친구의 글씨로 꾸며진
다이어리 보는게 어찌나 재있던지 ㅎㅎㅎ
친구 인스타 구경도 재밌지만, 일본에 사는 친구의 다이어리 구경 어떠세요?
↳ 내 친구아님. 오로는작가님ㅎ

여름문구사
일본 여행기(도서)

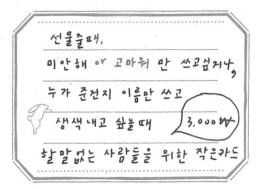

선물줄때,
미안해 야 고마워 만 쓰고싶거나,
누가 준건지 이름만 쓰고
생색 내고 싶을 때   3,000₩
할말없는 사람들을 위한 작은카드

여름문구사
메세지 카드

2,500₩

저는 운동할때
숨이 차올라 멈추고 싶으면.
이러다 좀비시대가 찾아오면
난 정말 초반에 죽겠군....
이런 생각을 하며 버팁니다.
(제일 좋아하는 좀비는 '월드워Z'의
연구소 박사 좀비) 정말TMI
암튼, 숨겨루기를 하며
좀비시대를 대비하세요(?)
INFP 윤채앙

© 여름문구사

여름문구사

들숨날숨 숨겨루기 배틀 파이프

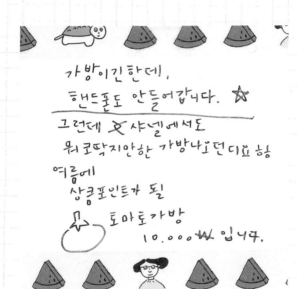

가방이긴한데,
<u>핸드폰도 안들어갑니다. ☆</u>
그런데 ~~옷~~ 샤넬에서도
뭐 콕따지안항 가방나오던디요 ㅎㅎ
여름에
  상큼포인트가 될
  토마토가방
       10,000₩입니다.

여름문구사
토마토 가방

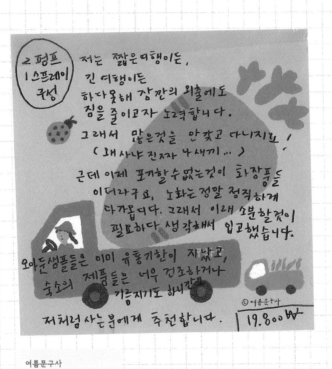

2 펌프
1 스프레이
구성

저는 짧은 여행이든,
긴 여행이든
하다못해 잠깐의 외출에도
짐을 줄이고자 노력합니다.

그래서 많은것을 안갖고 다니지요!
(왜사냐 진짜 나새끼 ...)

근데 이제 포기할수없는것이 화장품들
이더라구요. 노화는 정말 정직하게
다가옵니다. 그래서 이래 소분할것이
필요하다 생각해서 입교했습니다.

오아둔 샘플들은 이미 유통기한이 지났고,
숙소의 제품들은 너무 건조하거나
기름지기도 하시잖쥬

저처럼 사는분에게 추천합니다.

ⓒ여름문구사
19.800₩

여름문구사
여행용 소분 용기

SALE

멀리서보면 멀쩡한,
그렇지만 자세히 보면
안멀쩡한, '위례)
SNS 같은 상품세일

여름문구사

금속 배지

손님께서
비싸다 하기전에
내가 선수침

진짜 한라봉 한개,
초당옥수수 한개 보다
왕왕비싼
도자기자석
1개 6,000₩

여름문구사

한라봉, 초당옥수수 모양 도자기 자석

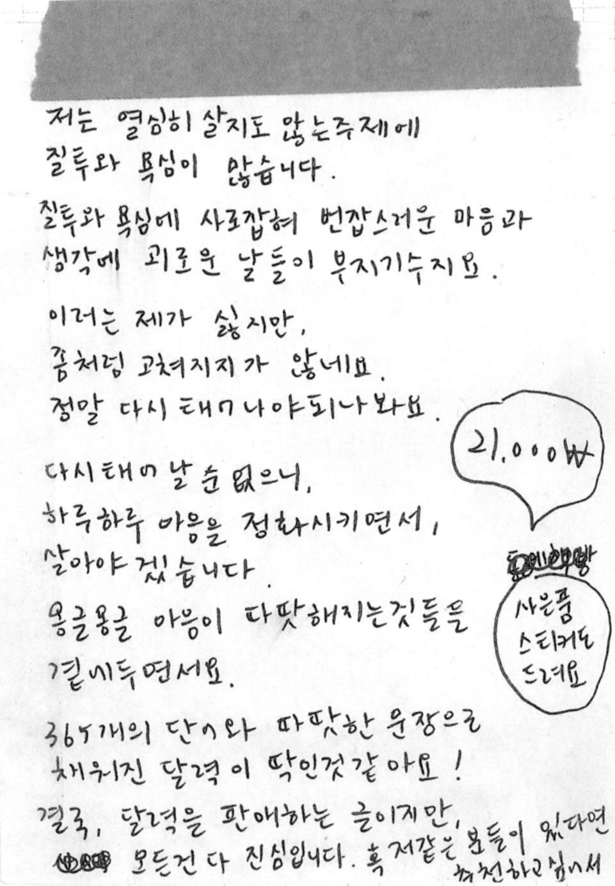

저는 열심히 살지도 않는주제에
질투와 욕심이 많습니다.

질투와 욕심에 사로잡혀 번잡스러운 마음과
생각에 괴로운 날들이 부지기수지요.

이러는 제가 싫지만,
꿈처럼 고쳐지지가 않네요.
정말 다시 태어나야되나봐요.

다시태어날 순 없으니,
하루하루 마음을 정화시키면서,
살아야겠습니다.

몽글몽글 마음이 따뜻해지는것들을
곁에두면서요.

365개의 단어와 따뜻한 문장으로
채워진 달력이 딱인것같아요!

결국, 달력을 판매하는 글이지만,
모든건 다 진심입니다. 혹 저같은 분들이 있다면
추천하고싶어서

21,000₩

연필양
사은품
스티커도
드려요

여름문구사

일력

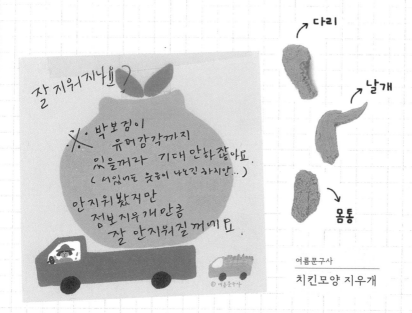

여름문구사
치킨모양 지우개

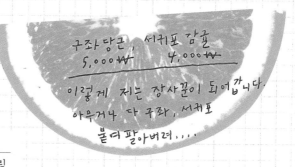

여름문구사
당근 키링, 감귤 키링

일부러 찾아오기엔
그냥 동네 문구사

제주안내도

©윤구사이모.런

기껏 여행왔는데, 날씨가 안 좋아도
너무 실망하지 마세요. 완벽하게 좋은날씨의
제주는 일년에 기껏 3, 40일 밖에 없어서
슬퍼하지 말고, 순간순간 변하는 제주의 날씨를
즐겨버리세요 :) (나중께....)

○ 혼자들써야해

어슬렁 심심행 워 먹냐?
△세차

주머니에 간식 챙겨다니며,
혼자 여행하다 외로울때
동물 친구 사귀기!

얼룩온구나

얼른들어가라 귀찮은놈아!

김밥 싸왔냐?

어흥!

한적한 오름을 갈때는
혼자가지 말고, 친구와 함께 가기

얼룩온구나

CLOSE

어?! 또 문닫았어!! 젠장

기껏 찾아간 가게가
느닷없이 문을 닫았다고?
흔공합니다.
섬에 살아 마음들도 없어
그런지.... 꾹 잡은 마음이
자꾸 파도따라, 바람따라
흘러갑니다.

둥둥
아휴~

똥돼지도 맛있지만,
백돼지도 맛있어요.
있다가도 없고, 없다가도 있는 돈이
없을땐 백돼지를 시켜 소주 한잔

무사?
왜?

아저씨, 아줌마 대신
다정하게 삼춘~이라고
불러주세요

밥 먹언?
밥 먹엇어

뭐랜 햄시냐?

3통물

육지보다 저렴한것은
오직 물 뿐...
물류 비용때문에 뭍은거 물지보다 비쌉니다.

제주는 생각보다, 매우 큽니다.
서울시 3배 = 제주도

제주시 — 1시간 — 우도 성산일출봉
목성일랑 넣어두고,
동쪽, 서쪽 나눠서
여행하는것도 좋지요
오설로 — 30분 — 서귀포시
— 70분 —

여름 + 문구사

1쇄 발행	2024년 4월 5일
5쇄 발행	2025년 1월 22일
지은이	이지언
편집	정세진
디자인	ALL design group
펴낸곳	개미북스
주소	제주특별자치도 제주시 구좌읍 한동로4길 18 2층
출판등록	2020년 7월 21일 제651-2020-000038호
이메일	0.1microbooks@gmail.com
인스타그램	small_days

가격 16,800원
ISBN 979-11-978573-2-4   03800